ニチレイフーズの
広報さんに教わる

食材の冷凍、これが正解です！

監修

株式会社
ニチレイフーズ

KADOKAWA

解凍した野菜が
**スカスカで
おいしくない**

冷凍庫の奥底で、
2年前の
霜だらけの
魚を発見…

解凍が面倒で、
**冷凍
ストック**が
減らない

そもそも
この冷凍方法、
正しいの？

冷凍**独特**の
ニオイと**味**が
気になる

**冷凍庫が
ぐちゃぐちゃ**
使いたい食材どこ？

また
冷凍焼け
させちゃった

冷凍した
**食材の衛生面、
大丈夫かな？**

解凍できたと
思ったら、
**中が
凍ってる！**

あ、
明日が賞味期限…
**とりあえず
冷凍！**

冷凍したら**一生、
保存できる**
気がしちゃう…

**まとめ
買いした肉、**
そのまま冷凍したら
使いづらい！

冷凍保存の
ギモンやお悩み、
すべて解消します

誰もが当たり前のように取り入れている冷凍保存。ですが、自信を持って「うまく活用できています！」と言える人は多くないかもしれません。冷凍保存のギモンや悩みが解消されれば、毎日の調理時間も短縮でき、大切な食事の時間をもっと笑顔で過ごせるはず。そんな想いでわたしたち広報は「ほほえみごはん」のWEBサイトをスタートしました。

本書は「ほほえみごはん」のコラム「食材の冷凍」をまとめた一冊です。料理家さんたちによる冷凍保存のアドバイスやレシピ、料理がもっと楽しくなるヒントをたくさん掲載しています。「冷凍」の活用が食事作りのよりどころとなり、みなさんの食卓を笑顔にするきっかけになればうれしいです。

Contents

1章 野菜・果物の冷凍保存

6章 惣菜・デザートの冷凍保存

本書の使い方

- 本書で使用している大さじ1は15㎖、小さじ1は5㎖、ひとつまみ・少々は親指と人さし指の2本の指でつまんだ量が目安ですが、個人差があるので味を見ながら調節してください
- 電子レンジやオーブントースターの加熱時間、冷蔵庫での解凍時間は目安です。機種や食材の状況によって差が出る場合がありますので様子を見ながら行ってください
- 本書をまとめるにあたり、「ほほえみごはん」のサイトの表記や作り方を一部変更している箇所があります。本書で紹介した各食材に関して、より詳しい冷凍方法や冷凍後の活用手段を知りたい場合は「ほほえみごはん」のWEBサイト（https://www.nichireifoods.co.jp/media/）を参照ください
- 本書に掲載の冷凍・冷蔵保存期間は目安です。まな板や包丁など調理器具の衛生状態や、食材の状態、冷凍庫・冷蔵庫の開け閉めの頻度等、ご家庭の保存状態や季節などにより変わる場合があります。食べる前によく確認してください
- 凍ったままのおかずをお弁当に入れて自然解凍で食べる場合は、お弁当に詰める他の食材も清潔な状態で作り、すべて冷めてから詰めるようご注意ください。心配な場合は1度電子レンジで熱くなるまで加熱し、その後十分冷ましてから詰めてください
- レシピで人数分表示や個数表示がないものは作りやすい分量で掲載しています

※「ほほえみごはん」は、株式会社ニチレイフーズの登録商標です

もう失敗しない！冷凍保存の基本ルール

冷凍したはいいけれど「解凍したら味が変わっておいしくない」「解凍がおっくうで、冷凍庫で化石のように眠ってる」そんなお悩みを解決する、野菜・肉・魚の冷凍保存の基本ルールをご紹介！

そもそも冷凍って何？

食品中の水分が凍結すること。冷凍保存しておくことは、保存料を使わずに、食材や食品の劣化を防ぎ、無駄なく使い切ることにつながる。ただし、凍る過程で水が氷結晶となり、食品の細胞壁が破壊されるため、解凍したときに旨み成分が流出したり、食感が変わってしまうことも。

だからこそ、家庭でもできる冷凍のコツが大事！

食品の細胞壁の破壊を最小限に抑えるには、急速冷凍して氷結晶が大きくなる前に凍らせること、食材の乾燥＆酸化を防ぐことが大切。業務用冷凍庫のようにはいかないものの、家庭で取り入れられるコツをつかめば冷凍上手に！

野菜の冷凍保存ルール

野菜を冷凍すると味や食感が変わりがち。
でも少しのコツで風味は段違い！

「野菜の冷凍」 4つの基本

① 食材を薄く平らにし、効率よく急速冷凍

薄く広げれば短時間で食材が凍り、氷結晶は小さいままなので細胞壁破壊が最小限に！ 解凍も早くなり、使う分だけ手で折って使えるメリットも。

② 金属製のバットなどに食材を並べて冷凍

アルミなど熱伝導の良い金属製のバットにのせて冷凍すると、冷凍までの時間を短縮できる。ラップの上からアルミホイルで包んでも◎。

③ 空気を遮断し、食材を乾燥から守る

冷凍庫内はとても乾燥している。ラップで包む、冷凍用保存袋に入れてなるべく真空状態にするなど、食材から水分が蒸発することを防いで。

④ 粗熱をとり、水気を拭き取って霜を防止！

熱いまま冷凍すると結露で霜ができるうえに、他の冷凍食材の劣化にもつながる。余分な水分も霜の原因になるので、野菜の水気を拭いてから冷凍を。

野菜の冷凍 Q&A

どの野菜も冷凍OK？
解凍のコツは？

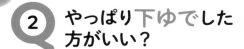

Q 1 冷凍に不向きな野菜ってある？

A / 水分の多い野菜や根菜は、工夫が必要

トマトやレタスなど水分が多い野菜は、凍結時に氷の結晶が大きくなるため食感が変化する。また、にんじんや大根、ごぼうなど繊維質の野菜は、解凍したときに繊維の周りの組織が空洞化し、筋っぽい感じが強くなってしまう。ただし、どれも工夫次第で冷凍できるので本書の内容をチェックして！

Q 2 やっぱり下ゆでした方がいい？

A / マストではないけど、風味はよくなる！

加熱が必要な野菜は、下ゆでして冷凍すると、野菜内の酵素を失活させて変色を防ぐことができ、解凍後の彩りや風味を保つポイントの一つ。ゆでるときには硬めがベスト。ただし、早めに使い切るなら生で冷凍可能な野菜も。詳しくは野菜ごとの内容をチェック！

Q 3 野菜の冷凍で使える小ワザを教えて！

A / すぐにマネできる3つの小ワザ、あります

1／野菜は丸ごと買って新鮮なうちに冷凍。丸ごとの大根、キャベツなどは鮮度がよいうえに、値段も割安。購入した日に半分冷凍しておけば、食事作りが時短に。2／青ねぎ、しょうが、大葉など少ししか使わない薬味は小分けにラップし冷凍。温度の低い冷凍保管なら香りを長く楽しめ、使う際もラク！ 3／鮮度が落ちやすいきのこ類は、購入後すぐに冷凍を！ 冷凍することで旨みもUP。

しょうが

Q 4 下処理やカットは解凍後でもOK？

A / めんどうでも冷凍前に済ませて

凍ったまま調理する場合が多いので、皮をむく、土を落とすなどの下処理を済ませておくのが大事。用途に合わせて切り、使う量ごとに小分けしてラップで包んでおけば、時短に。面倒なら、とりあえず大きめに切って冷凍し、いろいろな料理に活用しよう（下写真は玉ねぎの切り方の例）。

Q 5 解凍で気をつけることはある？

A / 凍ったまま加熱調理がおすすめ

「凍ったまま加熱」が大原則！ 冷凍庫から出してすぐに調理すること。解凍後に生で食べられる野菜は、流水解凍がベスト（冷蔵庫で解凍してもOK）。常温に放置すると野菜の水分がどんどん出てしまい、食感が悪くなるので注意。

丸ごと

くし形切り

みじん切り

薄切り

肉の冷凍保存ルール

肉の冷凍焼けを防いで
おいしさを長持ちさせる
コツをご紹介！

「肉の冷凍」3つの基本

1 肉についた
ドリップ（Q1参照）を
拭き取る

ドリップがついたまま冷凍すると、霜
や臭みの原因となるので、ペーパータ
オルでしっかり拭き取って。

2 冷凍用保存袋に
肉を入れ、空気を
抜きながら密封する。

平らな場所に肉を入れた保存袋を置き、
手で上から押しながら空気を抜いて密
封し、酸化を防いで。また、薄くする
ことで早く冷凍できる。

3 冷凍庫内は
「平ら」にして冷凍する

あれば急速冷凍機能を使って、なけれ
ば熱伝導のよい金属製のバットにのせ
て、平らな状態で冷凍庫へ。

肉の冷凍 Q&A　保存方法は？ 保存期間は？

Q1 買ってきた
パックのまま
冷凍してもいい？

A／ パックのままはNG！
ドリップが出ているかも

ドリップとは、肉の内部から出てくる赤い血
のような液体のこと。臭みの原因になるため、
冷凍前に拭き取って。また、そのままだとパ
ックが断熱材の代わりとなって温度が伝わり
にくくなり、冷凍に時間
がかってしまう。購入時
にすでにドリップが多く
出ている肉は、冷凍・解
凍後のものかも。再冷凍
はおいしさの点からも、
衛生面でも避けるのがベ
ター。

Q2 保存期間の
目安は？

A／ 1ヶ月以内が目安。
ひき肉は2週間以内が◎

家庭で冷凍する肉の保存期間は1ヶ月程度
が目安。ただし、空気に触れる部分が多い
ひき肉は、2週間が目安。長く冷凍すると
肉が酸化＆乾燥しがちなので、なるべく早
く使い切ろう。冷凍庫を開けると庫内の温
度が上昇するので、開ける頻度によっても
保存期間は変わる。
冷凍した日を袋に書
き込み、使い忘れを
防いで！

③ 保存期間を 延ばすコツは ある？

A／ 新鮮な肉を、清潔な状態で素早く冷凍する

鮮度のよい肉を選び、購入当日に冷凍することが大事。使いそびれてしまったから冷凍する…というのは避けて。保存の際は手をよく洗い、清潔な菜箸やまな板を使って作業を。なるべく急速冷凍しよう（Q6参照）。

④ 「ラップ」と「保存袋」、どちらを使うのが 正解？

A／ 冷凍用の保存袋が◎。小分けはラップで

「密封」できる冷凍用保存袋がおすすめ！ラップで包んだだけでは冷凍庫内ではがれやすく、酸化したり霜が付いたり、他の食品のニオイが移りやすくなったりする場合も。小分けする場合はラップで包み、さらに冷凍用保存袋に入れて。

⑤ 冷凍庫の どこに入れて 冷凍するといい？

A／ 急速冷凍室がベスト。金属製のバットも活用

肉のおいしさをキープしたいなら、急速冷凍が大事！　冷蔵庫に「急速冷凍室」がない場合は、アルミやステンレスなど、熱伝導のよい金属製のバットに冷凍用保存袋に入れた肉をのせ、冷凍庫に入れると冷凍にかかる時間が短くなるので◎。

⑥ 「冷凍焼け」の 見極め方は？

A／ くすんだ暗い色になり、表面が乾燥しているか

冷凍焼けとは、食材を長い間冷凍保存した際などに起こる現象。密封せず冷凍したり、冷凍⇒解凍⇒再冷凍を繰り返したりすることでも、冷凍焼けが起こる場合が。食べられないことはないが、味は確実に落ちる。やはり早めに食べ切るのがベスト。

⑦ 使い切れなかったら、もう一度冷凍 していい？

A／ 再冷凍はNG。加熱調理して早めに 食べ切る

一度解凍した肉は、冷蔵庫での保存も、再度冷凍庫に入れるのもNG。冷凍焼けの原因にもなり、衛生的にもおすすめできない。解凍後は調理して肉の中心部まで火を入れ、その日のうちに使い切るようにして。

魚の冷凍保存ルール

おいしさや鮮度を保つ
冷凍・解凍方法、
下処理のポイントを解説！

「魚の冷凍」 4つの基本

1 鮮度のいい魚を
その日のうちに冷凍

魚は傷みやすいため、家庭で安全に冷凍するには、鮮度のいい魚を鮮度がいいうちに保存することが大切。購入当日中がベスト。

2 下処理し、
水分を拭き取る

魚は内蔵から傷みはじめるため、エラ、内蔵、ウロコは冷凍前に取り除いて。切り身の場合も臭みの原因となるドリップを拭き取ること。

3 冷凍用保存袋で
きっちり密封する

魚をラップに包んだだけ、ビニール袋に入れただけで冷凍すると乾燥や酸化の原因に。ほかの食品へのニオイ移りも気になる。冷凍用保存袋を使い、空気を十分に抜いて密封して。

4 急速冷凍を
心がけておいしさキープ

魚に厚みがあると冷気が伝わりにくいため、保存袋に入れる際はできるだけ薄くして。冷凍庫に急速冷凍機能がない場合は、金属製のバットの上にのせて冷凍庫へ。

魚の冷凍 Q&A

保存方法は？
保存期間は？

Q1 パックのまま
冷凍してもいい？

A/ パックのままはNG！
酸化と乾燥が
進む原因に

肉と同様、購入時のパックのまま冷凍すると、酸化と乾燥が進みやすくなってしまう。さらにパックが断熱材の代わりとなって温度が伝わりにくく、冷凍に時間がかかる。魚からドリップが出ている場合もあるため、ペーパータオルなどでしっかり拭き取ってラップで包み、冷凍用保存袋へ。下処理をする際は、手をよく洗い、清潔な菜箸やまな板を使って作業して。

Q2 魚でおすすめの
解凍方法は？

A/ おいしさをキープでき、
失敗しにくいのは
「流水解凍」

おすすめは、流水解凍。流水解凍の方法は、ボウルに冷凍した魚を保存袋ごと入れ、流水に当てるだけ。触ってみて、中心がまだ硬い状態が半解凍状態の目安。この状態が調理しやすく、ドリップも出にくい。完全に解凍したい場合は、触ってやわらかくなるまで流水に当てる。ただ、冷凍した魚の解凍方法はさまざまなので、本書の各ページもあわせてチェックすると◎。

Q3 常温に置いて
解凍しても大丈夫？

A/ 細菌増殖を
防ぐためにも
避けた方がよい

冷凍した魚を常温に置いて解凍すると、その存在を忘れて放置してしまう場合が。すると細菌が増殖しやすい温度帯に長時間さらされることになるため、おすすめできない。

野菜・果物 の 冷凍保存

食材ごとのコツを
つかみましょう

ほうれん草

生のまま切って冷凍してOK!

生のほうれん草と同じように使える

ほうれん草をおいしく保存するなら冷凍がおすすめ。手間がかからず、風味が落ちない「生のまま冷凍」なら、サラダから煮物、炒め物まで生のほうれん草とほぼ同じように使える。また、甘みのあるやわらかな食感を楽しみたいなら「ゆでてから冷凍」を。緑色が鮮やかに残るので和え物やスープに向いている。

生のまま冷凍
下処理なしで楽チン

これで冷凍庫にイン！

ほうれん草を洗い、水気を拭き取って3〜4cmの長さに切る。葉は1食分（2茎分ほど）ごとに冷凍用保存袋に入れ、空気を抜くように袋の口を閉じて金属製のバットにのせて急速冷凍。茎や根元はラップに包んで分けて冷凍する。

根元の洗い方のコツ

流水を当てて土を落とす

流水を当てながら根元を広げるようにして指で土を落とす。さらにほうれん草を逆さに持ち、根元から流水に当てて全体を洗う。洗う前に根元を3分ほど水につけておくと土に水がなじんで落ちやすくなる。

ちぢみほうれん草も生で冷凍

ちぢみほうれん草はアク抜きも不要なので、生のまま冷凍できる。1枚ずつよく洗い、水気を拭き取って食べやすい大きさに切る。小分けして冷凍用保存袋に。約1ヶ月冷凍保存できる。

≫

解凍

生のまま冷凍した場合、炒め物やスープなら凍ったまま加熱調理、サラダやおひたしなら冷蔵庫で約1時間解凍してそのまま使う。急いで解凍するなら凍ったまま熱湯を直接かけると時短に。えぐみが気になる場合は、凍ったまま熱湯で1分程度ゆでてから使用して。また、凍った状態でめんつゆを少量かけて解凍すれば、約15分後においしいおひたしが完成！

ゆでてから冷凍
甘みキープ＆色鮮やか

これで冷凍庫にイン！

ほうれん草は、流水に当てながら根元の土を落とし、全体を洗う。ゆでてからしっかり水気を絞り、食べやすい大きさ（3〜4cm程度）にカット。1食分ずつラップで包んで冷凍用保存袋に入れ、金属製のバットにのせて急速冷凍する。

下ゆでは「硬め」に

ゆでるときは根元から

約1ℓの熱湯に塩小さじ1を溶かす。ほうれん草を根元から入れて茎だけを30秒ゆでた後、全体を沈めてさらに20秒ゆでる。茎が太めのものや葉が硬めのものは少し長めに。

氷水でアク抜きと色止めを

冷まして すぐに

ゆであがったら氷水にとって色止めし、冷めたらすぐに引き上げる。氷水がない場合は冷水でもOK。

≫

解凍　凍ったまま加熱調理できる

下ゆで冷凍の場合、炒め物やスープなどは凍ったまま加熱調理、おひたしや和え物などは冷蔵庫で3時間〜半日ほど解凍して味付け。下ゆでした冷凍ほうれん草はえぐみがほとんどない。

小松菜

保存
2〜3
週間

しなしなになる前に

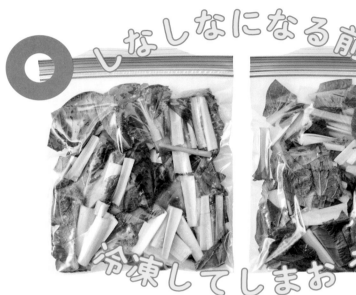

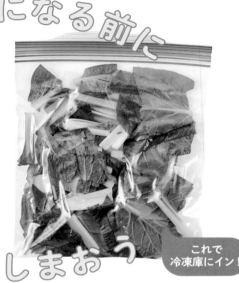

これで
冷凍庫にイン！

冷凍してしまおう

食べやすく切って
生のまま冷凍するだけ！

水気が残っていると冷凍後くっつきやすくなるため、切る前にペーパータオルなどでしっかり拭き取る。切る際の長さは3〜4cmが便利。冷凍用保存袋に入れて、空気を抜くように袋の口を閉じ、冷凍する。1回に使う量ずつ保存袋に入れて小分けに冷凍しておくと◎。

根元を切り落として洗う

楽する洗い方のコツ

小松菜は流水で全体を洗う。泥がたまりやすい根元の部分は、切り落としてから水を張ったボウルの中にひたし、指でこするようにして洗うとよい。

（解凍）汁物や炒め物なら、そのまま
おひたしやナムルは自然解凍

凍ったまま汁物や炒め物に使えます。汁物に加えるときは、さっと煮るだけでOK。炒め物に使うときは、他の食材にほぼ火が通ったタイミングで冷凍小松菜を加える。

冷蔵庫で2〜4時間自然解凍すれば、ゆでなくてもしんなりとした食感に変化。水気を絞れば、ゆでずにそのままおひたしやナムルに使える。時間がないときは冷凍用保存袋のまま、袋の口を開けて電子レンジで加熱を。500Wで1分（600Wなら50秒）加熱し、水にさっとさらして水気を絞り、料理に使う。

春菊

茎は3cm、葉は7cmに切るのがポイント

洗った春菊は水気をペーパータオルでしっかり拭き取る。茎は下の茶色い部分を切り落とし、2〜3cmの長さに、葉は7〜8cmの長さにカットして冷凍用保存袋へ。茎を短めにカットすることで、葉と同じ加熱時間で調理できる。

茎

葉

これで冷凍庫にイン！

冷凍用保存袋に入れる際は、ざっくり茎と葉に分けて袋に入れるのがおすすめ（上写真）。前から順に取り出せば、茎と葉がバランスよく取れる。

解凍 凍ったまま鍋や汁物に加えたり、炒めたりして調理。袋の上から軽く揉むと、パラパラになって使う分だけ取り出しやすい。おひたしなどは凍ったままゆでてから調理。

チンゲン菜

これで冷凍庫にイン！

油を加えた湯でゆでてから冷凍

ゆでる際にサラダ油を加えることで、色ツヤよく、味わいにもコクが出る。鍋に湯を1ℓ沸かし、塩小さじ2、サラダ油大さじ1を加え、切ったチンゲン菜の茎を30秒ほど、葉を15秒ほどゆでて水気を絞る。1回に使う量ずつラップで包み、冷凍用保存袋に入れる。

解凍 凍ったまま鍋やスープに加えたり、炒めたりして調理。または電子レンジ（600W）で70gにつき1分加熱し、おひたしなどに。

手軽に保存したいなら「生のまま」

これで冷凍庫にイン！

汁物やおひたしに◎

チンゲン菜は根元を切り落とし、葉、茎それぞれ2等分に切ると使いやすい。チンゲン菜は根元に泥がたまりやすいので、切ってから洗うのがコツ。水気をしっかり拭き取って冷凍用保存袋に。

解凍 解凍すると水分が出やすいため、凍ったまま加熱して水分ごと調理できる汁物や煮物、蒸し物などがおすすめ。凍ったままゆでてもおいしい。冷凍すると茎の繊維が破壊されてやわらかくなるため、葉と茎を同時に加熱しても火が通る。

キャベツ

大量消費できる

細切り

ざく切り

くし形切り

3種の切り方を
覚えておこう

キャベツは「生」で冷凍できる!

洗った後、細切り（1〜1.5cm）、ざく切り（約4cm角）、細めのくし形切り（約3cm）など用途に合わせて切っておくと便利。水気をしっかり拭き取った後、冷凍用保存袋に入れ、空気を抜いて薄くして冷凍する。

解凍 汁物や炒め物なら、そのまま

事前解凍なしで加熱調理に使用。細切りの冷凍キャベツは味噌汁などの汁物やスープ類がおすすめ。ざく切りの冷凍キャベツは炒め物向き。くし形切りは肉などと合わせてメイン料理に使いやすい（右レシピ参照）。

Recipe ／ 豚肉とキャベツのレンジ蒸し

①深めの耐熱容器に冷凍くし形切りキャベツ5切れを並べ、豚バラ肉薄切り150gをキャベツの隙間に、挟むようにのせていく。② ①に酒大さじ1を回しかけ、塩、粗びき黒こしょう少々をふり、ふんわりとラップをして、電子レンジ（600W）で約10分間、肉の色がしっかり変わって火が通るまで加熱する。③ 市販のごまだれ適量を添える。

レタス

買って「すぐ」使わない分さ

これで
冷凍庫にイン！

急速冷凍！

アルミホイルで包んで急速冷凍

傷みやすいため、購入してすぐ使わない分を冷凍するのが◎。ちぎったレタスは変色しやすいので、なるべくスピーディに冷凍すること。冷凍用保存袋をアルミホイルで包む方法以外に、金属製のバットにのせる方法でもOK。

解凍 必ず凍ったままで加熱調理

解凍すると水分が出てべちゃっとしがち。凍ったまま加熱して料理に使うのがおすすめ。スープや味噌汁などの汁物、炒め物、蒸し物などに、凍ったまま加えて調理する。

ちぎりながら保存袋へ

買ってすぐに作業しよう

食べやすい大きさにちぎって冷凍すると便利。洗った後にペーパータオルで水気を拭き取り、手でちぎりながら冷凍用保存袋へ。この時点で芯や変色している部分は取り除いて。レタスは金属に触れて反応すると色が変色しやすいという特徴も。包丁は使わないのがベター。

サニーレタスも冷凍できる！

こちらも加熱調理で使用

サニーレタスなどのその他のレタスも冷凍保存可能。上記のレタスと同様の方法で、食べやすい大きさにちぎって冷凍するとよい。こちらも加熱調理してから食べること。

ほうれん草
小松菜
春菊
チンゲン菜
キャベツ
レタス
白菜
水菜
菜の花
アスパラ

白菜

食べやすく切って冷凍するだけ

白菜は用途に合わせて切り方を変える。炒め物や鍋なら洗った後に3〜5cm幅のざく切り、味噌汁や漬物なら1cm幅くらいの細切りにする。その後、水気を拭き取り冷凍用保存袋に入れて空気を抜くように袋の口を閉じ、冷凍庫へ。

これで冷凍庫にイン!

解凍
鍋料理や味噌汁に凍ったまま加えてOK。冷凍で細胞が壊れるため早く火が通り、味も染み込みやすい。炒めるなら、にんじんなど硬い野菜に火が通った後、凍ったままの白菜を加える。水分が出るので、最後に水溶き片栗粉でとろみをつけて。

Idea
自然解凍で漬物に
冷蔵庫で自然解凍し、水気をしっかり絞ると漬物のような食感に。塩少々をまぶせば浅漬け風、キムチの素で和えれば即席キムチに。

水菜

これで冷凍庫にイン!

解凍せずそのまま調理OK

水菜はしなびやすいので早めに対応を。水洗いした後に5〜6cmの長さに切り、軽く水気を拭き取り、冷凍用保存袋に入れてしっかり空気を抜く。この状態で冷凍庫へ。

解凍
冷凍した水菜は生食ではなく加熱調理する。解凍せずに、そのまま調理可能。鍋や煮びたしなどへの活用がおすすめ。

食感を味わうなら冷蔵保存で

乾燥を防いで鮮度をキープ

洗わずそのままペーパータオルで包み、根元に手でそっと水をかける。その後、購入時に入っていた梱包袋やポリ袋に入れて野菜室へ。ペーパータオルはカビが生えやすいので5日を目安に交換を。

菜の花

さっと下ゆで冷凍で食感&味をキープ

花の間に砂や小さな虫などが入っていることがあるので、ゆでる前に流水でしっかり洗う。ゆでた後、花の部分に水分が残りやすいので、ペーパータオルで押さえてしっかり拭き取る。

菜の花の食感やほろ苦さをキープしたいなら「下ゆで」冷凍がおすすめ。塩ゆでした菜の花は冷水にさらして、色止めする。茎の根元のかたい部分を切り落とし、2等分の長さに切り、茎の部分と花の部分を均等に入れてラップで包み冷凍用保存袋へ。

解凍

おひたしや和え物などに使う場合は、電子レンジ（500W）で1分30秒加熱してから味付けする。炒め物やスープなどに使う場合は凍ったまま加熱調理。

時間がない日は生のまま冷凍でもOK

使う際はしっかり加熱を

洗った菜の花の水気を拭き取り、根元の硬い部分を切り落として100g程度ずつラップで包んで冷凍用保存袋へ。調理の際はしっかり加熱することで筋っぽさが和らぐ。凍ったまま切って炒め物なら3分ほど炒め、おひたしなら沸騰した湯に入れて再沸騰するまでゆでる。

アスパラ

下ゆで不要！レンジ解凍で即食卓へ

下ゆでなら甘みをキープできる

サラダやパスタのトッピングに

湯を沸騰させたフライパンに、下処理したアスパラを入れて約1分30秒ゆでる。粗熱がとれたら、3〜4本程度まとめてラップで包み、冷凍用保存袋に重ならないように入れる。使用する際は熱湯をかけるか、電子レンジ（600W）で1本あたり約20秒加熱。

冷蔵では味がどんどん落ちるため生のまま冷凍が◎。下処理したアスパラ（右下参照）を4本程度まとめてラップで包み、冷凍用保存袋に入れて冷凍庫へ。

これで冷凍庫にイン！

 解凍

凍ったままお好みの長さにカットし、電子レンジ（600W）で1本あたり約45秒加熱すれば、そのまま使える。炒める場合は、長めに炒めて水分を飛ばすとおいしくなる。ゆでる場合は、3〜4本あたり1分45秒程度ゆでる。

Idea
下処理のコツ

切り口は乾燥しているので2〜3mm切り落とし、まな板の上に。片手で穂先を押さえ、もう片方の手で根元を持ってしならせると「折れそうなところ」がわかる。そこから下の皮をピーラーや包丁でむくと◎。

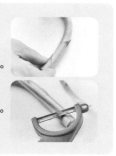

長ねぎ

細かく刻まず

3等分してラップで包む

洗った長ねぎは根元を切り落とし、3等分して水気を拭き取る。それぞれをラップで包み、冷凍用保存袋に。冷凍庫では金属製のバットの上に置いて凍らせた保冷剤をのせて冷凍を。

これで
冷凍庫にイン！

長いまま冷凍

解凍　凍ったまま切って使用

冷凍した長ねぎは調理前に解凍すると水分が出て、旨みも流出してしまう。凍ったまま切って加熱調理に使うのがよい。

冷蔵なら「保湿」で長持ち

1
ペーパータオルで包む

洗って根元を切り落として、3等分に。たっぷり水を含ませたペーパータオルで下半分を包み、軽く水を含ませたペーパータオルで上半分も包む。上部の青い部分も同様に。

2
野菜室に立てて保存

青いところのみの部分と白い部分は分けて保存袋に入れ、収納ケースなどに立てて野菜室で保存。ペーパータオルは週に1度交換して。白い部分は約3週間、青い部分は約2週間保存可能。

Idea
青い部分は
冷凍すると
食べやすくなる

生で食べるとイガイガした印象の青い部分も、一度冷凍して細胞を壊すことで食感がよくなり、食べやすくなる。凍ったまま小口切りにして卵焼きや味噌汁に、斜め切りにして炒め物に、5cm程度のぶつ切りにして鍋や煮物にどうぞ。

ニラ　用途に合わせて

◯長いままか粗みじん切りに

傷みやすいので冷凍が◎

ニラは冷蔵庫に入れておくと傷みやすいので、冷凍保存がおすすめ。大きめにカットして冷凍すれば食感はほぼ変わらず、香りもキープできる。粗みじん切りで冷凍すれば、凍ったまま調理できて便利。

冷蔵保存は乾燥を防いで

買ったままの状態での保存はNG

4〜5日間で食べ切れる場合は、野菜室で保存を。洗ってから水気を拭き取り、長さを3等分にして ペーパータオルで包む。保存袋に入れて立てた状態で保存を。

大きめに切って冷凍

香り&食感をキープできる

洗ったニラを根元から1cm程度切り落とし、冷凍用保存袋に入る程度の長さに切る。ニラは折れない程度にできるだけ大きめに切ると、香りをキープできる。冷凍用保存袋に入れ、冷凍庫に。

粗みじん切りで冷凍

ラップで包んで鮮度をキープ

洗ったニラを根元から1cm程度切り落とし、粗みじん切りに。小分けにしてラップで包み、冷凍用保存袋に入れて冷凍庫へ。

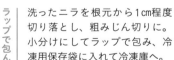

解凍

使う際は、冷凍庫から出してすぐに切り、炒め物などに入れて加熱調理。

解凍
使う際は凍ったまま軽く揉んでほぐし、ぎょうざのタネに加える。みそ汁やスープに入れてもOK。

トマト

ざく切り冷凍が一番使いやすい

皮付きのままざく切りに

トマトは種とゼリー状の部分に酸味と旨みがあるので取り除かずに冷凍を。ただし、まな板に流れ出た水分は霜の原因になるので使用しない。トマトは熟しすぎていると切りにくく、水分が出やすいので、ほどほどの硬さのものがベター。ざく切りにしたトマトは重ならないように冷凍用保存袋に入れて冷凍すると使う際に必要な分だけバラして取り出しやすい。

（解凍） 生のままざく切りで冷凍したトマトは必ず加熱調理して使用。いつもの炒め物に凍ったまま加えてOK。トマトの旨みで全体の味がまとまりやすくなる。野菜炒めを作る際は、肉

→その他の野菜（キャベツや玉ねぎなど）の順に炒めて具材に火が通った後に、冷凍トマトを入れる。トマトに火が入るまでさっと炒めたら完成。

丸ごと冷凍もOK
ヘタだけ取って袋にイン

ヘタに雑菌がつきやすいので、包丁の刃先でぐるりと切り込みを入れて取り除いてから冷凍用保存袋に。

流水に当てれば皮がツルン

湯むきの手間が不要

流水に当てると皮がむきやすくなる。半解凍状態にもなるので包丁の刃が入りやすくなり、好きな大きさ、形に切りやすくて便利。包丁が滑りやすいので気をつけて。必ず、刃が入る状態まで溶かすこと。

Idea
ミニトマトもそのまま冷凍

ヘタだけ取って、冷凍用保存袋に重ならないように入れ、空気を抜いて冷凍する。使うときは必要な個数だけを取り出して。
流水に当てて皮をむき、いつものスープに加えて煮るだけで、ちょっとしたご馳走感もプラスされ、見た目もかわいい！

トマトソースは冷凍でおいしさアップ

冷める間に旨みが溶け出る

氷水に当てて急速冷却

手作りのトマトソースは粗熱をとって冷凍するまでの間に、素材から旨みが溶け出し全体がなじんでおいしくなる。粗熱をとる際は細菌の増殖を防ぐため、金属製のバットに入れて氷水に当てる。たまに上下を返すように混ぜて素早く冷やす。

菜箸で十字に筋をつけて冷凍

少量ずつ割って使える

菜箸で十字に筋をつけて冷凍すると解凍時に少量ずつ割って解凍できて便利。

（解凍） 凍ったまま鍋やフライパンで加熱解凍。または耐熱容器に移し、ふんわりとラップをして約300gにつき電子レンジ（500W）で2分30秒加熱し、全体を混ぜ、さらに3分30秒加熱を。

なす

丸ごと冷凍で 1ヶ月間

これで
冷凍庫にイン！

保存できる！

レンジで加熱して そのまま冷凍できる

なすは、レンチンして冷凍すると楽チン。ヘタを切り落として耐熱皿にのせ、ふんわりとラップをして2本（160g）あたり電子レンジ（600W）で2分30秒加熱。ヘタがついたなすを加熱すると破裂する恐れがあるので注意！　加熱後ラップを外して粗熱をとり、1本ずつラップでぴったりと包んで冷凍用保存袋に入れて冷凍する。変色する場合もあるが味には問題ない。

解凍

レンジで半解凍にしてカット

冷凍なすをラップに包んだまま耐熱皿に置き、1本あたり電子レンジ（600W）で30秒加熱する。半解凍状態になるため、料理に合わせて切りやすい。

Recipe ／ なすとひき肉の ピリ辛炒め（2人分）

なす…4本
豚ひき肉…150g
おろしにんにく…小さじ1
水…大さじ3
ごま油…大さじ1

A｜豆板醤…小さじ2
　｜砂糖、しょうゆ
　｜　…各小さじ½
　｜塩、こしょう
　｜　…各適量

①レンジで半解凍したなすは縦に8等分に切る。フライパンにごま油とおろしにんにくを入れて炒め、香りが立ったら豚ひき肉を炒める。②肉が白くなったら、なすと水を加えてしんなりするまで炒める。③Aを入れて味を調える。

Recipe ／ 5分で完成、 なすの煮びたし（2人分）

レンジで半解凍したなす2本の皮に格子状の切り目を入れる。鍋になすと水200㎖、しょうゆ・みりん各大さじ2を入れて4〜5分煮る。お好みでおろししょうがをのせる。

きゅうり

新鮮なうちに
そのまま冷凍庫へ

冷蔵庫のきゅうりを放置してしまい、気づけばブヨブヨ…これを防ぐには鮮度のいいうちに冷凍を。塩揉みなどの下処理は不要。よく洗って水気を拭き取り、ラップで全体を覆ってぴったりと包んで冷凍用保存袋に入れ、冷凍庫に。

これで
冷凍庫にイン！

解凍 流水で軽く解凍してカット

ラップで包んだまま3分程度流水に当てて解凍し、芯にかたさが残る半解凍状態になったら、ラップを外して手でよく水気を絞る。好みの大きさにカットし、味付けして使用。

Recipe ／ ひんやり食感の和え物

ぶつ切りにした冷凍きゅうりは、はちみつ大さじ1、穀物酢大さじ2、塩、こしょう各少々と和えて5分ほど置けばピクルスに。スティック切りの方はプレーンヨーグルト・マヨネーズ各大さじ1、粒マスタード小さじ1、塩少々と和えてヨーグルトサラダなどに。

ズッキーニ

みずみずしさを保つ
丸ごと冷凍

切らずに冷凍すれば切断面がないので水分が飛びにくく、みずみずしさをキープできる。下処理は一切不要。洗って水気を拭き取った後、ラップでぴったり包んで冷凍用保存袋に入れ、冷凍庫に。

これで
冷凍庫にイン！

切って冷凍も便利

用途によりチョイス 角切り・スティック状・輪切りなどにし、冷凍用保存袋に平らになるように入れて冷凍。凍ったままスープやパスタに加えて調理。冷蔵庫で自然解凍（50gにつき約4時間が目安）すれば、サラダやピクルスなど生のまま食べられる。

角切り

スティック状

輪切り

解凍

ラップを外して2〜3分流水に当てて解凍する。半解凍状態になったら、ペーパータオルで水気を拭き取る。生のズッキーニと同じように切って調理することが可能。生のままでも食べられるのでサラダにもどうぞ。

きぬぎぬ
オクラ
トマト
なす
きゅうり
ズッキーニ
ピーマン
パプリカ
ししとう
オクラ

ピーマン

保存
1ヶ月

カットして冷凍なら
スピード調理が叶う

ピーマンは傷んでシワシワになる前に冷凍を。切ってから冷凍すれば調理に使いやすい。洗ってヘタと種を取り除き、1.5cm幅に切り、ペーパータオルで水気を拭き取って重ならないように冷凍用保存袋に入れて口を閉じ、冷凍庫に。

これで冷凍庫にイン！

解凍 冷凍のまま他の具材と一緒に加熱調理する。シート状に凍ったピーマンは使う分だけ手で折って使用できるので便利。

冷蔵保存なら個包装&ポリ袋で

ぐんと長持ち この方法で

ピーマンは傷みが移りやすいため、買った袋のまま保存しない方がベター。洗った後に1個ずつペーパータオルで包み、ポリ袋に入れて野菜室に。袋の口はゆるめに閉めて。ポリ袋で適度な湿度を維持することで、ピーマンの鮮度をキープできる。約3週間も保存可能。

パプリカ

保存
1ヶ月

丸ごと冷凍で
劣化を防ごう

カットして
冷凍する方法も

少量ずつ使えて便利！

できるだけ大きめに切り、冷凍用保存袋に入れたときに空気を抜きやすいよう、凹凸が少なくなるよう切り分けることがポイント。まず下の写真のように上下をカットし、手でヘタと種を取り真ん中の部分をワタに沿って6等分にカットする。ワタは苦く口当たりが悪いので包丁でそぎ取ると◎。冷凍用保存袋に入れる際は重ならないように。使用する際は凍ったまま好みのサイズに切り、炒め物などに入れるとよい。

常温や冷蔵で保存するとどんどん味が落ちるため、冷凍保存がおすすめ。切断面が少ないほど、劣化を防げるので、丸ごとラップで包んで冷凍用保存袋に入れて冷凍すれば、おいしさが長持ちする。

これで冷凍庫にイン！

解凍 5分ほど常温に置き、包丁が入るようになったら縦半分にカット。ヘタ・種・ワタを手で取り、加熱調理。グラタン、肉詰めにするのもおすすめ。

これで冷凍庫にイン！

ししとう

ヘタを残したまま 冷凍用保存袋にイン

ししとうは冷蔵保存すると3〜4日で乾燥し傷みはじめてしまうので冷凍がおすすめ。食感も風味もほぼ変わらず保存できる。ヘタを切ると切断面から酸化しやすくなるため茎だけ切って洗い、水気を拭き取って冷凍用保存袋に入れて冷凍する。

これで冷凍庫にイン！

1週間以内に食べるなら冷蔵保存

ペーパータオルとポリ袋を活用

茎だけを切って洗い、水気を拭き取った後にまとめてペーパータオルで包む。ポリ袋に入れて野菜室で1週間程度保存可能。プラスチック容器に入っていた場合は、ペーパーで包んだ後に容器に戻し、ポリ袋に入れるとより鮮度を保てる。

解凍 1分ほど常温に置くと包丁が入るので、カットして加熱調理する。丸ごと炒めるなら、包丁で数ヶ所切り込みを入れると、加熱時にししとうが弾けるのを防ぐ。

オクラ

板ずりしておけば 解凍後の食感がよい

冷蔵だと4〜5日しか保存できない。簡単な下処理をして冷凍が◎。まず、まな板にオクラに置き、塩ひとつまみをまぶして手のひらでゴロゴロ転がす。この工程で表面の産毛が取れてなめらかな食感に。その後、ヘタの先端部分を切り落とし、ガクの部分を包丁で1周薄くむく。サッと洗って水気を拭き、生のまま冷凍可能。

これで冷凍庫にイン！

冷凍用保存袋に入れる際にはオクラを2〜3本ずつラップで包んで。

レンチンで下ゆで冷凍も◎

和え物やサラダに

ゆで加減が難しいオクラも、電子レンジ加熱なら程よい食感に。解凍後の加熱調理は不要。耐熱皿に並べ、ふんわりとラップをして電子レンジ（600W）で40秒加熱する。粗熱がとれたら2〜3本ずつラップに包んで冷凍用保存袋に入れて冷凍を。レンジ加熱済みのため和え物やサラダにそのまま使えて便利。カットする場合は、1〜2分常温に置いて。

これで冷凍庫にイン！

解凍 冷凍庫から出し、そのまま炒め物や煮物などに使う。包丁で切る場合は1〜2分常温に置いて。

ブロッコリー

小房に分けて
生のまま冷凍が楽チン

小房に分けたブロッコリーを洗う際は、水を張ったボウルに入れて揺するようにしてしっかりと。その後、ペーパータオルで水気をよく拭き取る。

ブロッコリーは風味重視なら硬めにゆでて冷凍がおすすめ。でも生のまま冷凍もOK。解凍後も水っぽくなりにくく、食感もキープできる。ブロッコリーは房と茎を切り分けてからよく洗い、3〜4房ずつラップでぴったりと包む。重ならないように冷凍用保存袋に入れて冷凍庫へ。

これで冷凍庫にイン！

解凍 凍ったまま調理が可能。自然解凍すると水っぽくなってしまうため、凍った状態でゆでたり、炒めたり、蒸したりして使う。

Idea
冷凍庫がパンパンならブロッコリーを容器にイン

これで冷凍庫にイン！

冷凍ブロッコリーは房の部分がぼろぼろと崩れやすくなる。冷凍庫内が他の食品でいっぱいの場合は、房を保護するため、冷凍用保存容器に入れて冷凍すると◎。

カリフラワー

これで冷凍庫にイン！

下ゆで冷凍で
甘みをキープして

生のまま
冷凍なら手軽！

冷凍して 新鮮なうちに

小房に切ってよく洗ってから、水気をしっかり拭き取って冷凍用保存袋に。凍ったままゆでたり、スープに加えたり、炒めたりするなど加熱調理が◎。自然解凍は食感が変化しやすく、甘みも引き出せないので避ける。

カリフラワーは下ゆでしてから冷凍すると解凍後もしっかり甘みを感じられる。小房に分けておけば使いたい分だけそのまますぐに調理できて便利。水を張ったボウルで2〜3回洗い、汚れを取り除き、ゆでて冷ましてから冷凍用保存袋に。

解凍 凍ったまま加熱調理する。鍋で煮てスープにしたり、グラタンにしたりするのがおすすめ。冷蔵庫で50gにつき3時間ほど解凍し、サラダに使ってもよい。

Idea
レモン汁を加えて
ゆでて変色を防ぐ

フライパンに深さ2cmほどの水を張り、中火にかけ、沸騰したら湯全体量の1％程度の塩（水500mlの場合は小さじ1）とレモン汁（小さじ½）を入れ、小房に分けたカリフラワーを2分ゆでる。

にんじん

保存 **1ヶ月**

薄切り冷凍でおいしい

これで冷凍庫にイン！

鮮度をキープしよう

余ったにんじんは傷む前に冷凍

半端に余ったにんじんは、切り口から乾燥して傷みやすい。薄く切って冷凍するのが◎。皮をむいて薄いいちょう切りや細切りにしたり、スライサーで薄くスライスして、冷凍用保存袋に薄く平らになるように入れる。にんじんは冷凍・解凍すると食感が変わるが、薄切りだと気になりにくい。

解凍

どの切り方でもポキポキと折って必要な量だけ取り出し、凍ったまま加熱調理。きんぴらや豚汁などさまざまな料理に使える。

冷蔵保存ならここがポイント

買ってきたらすぐ袋から出そう

にんじんは水分が付いていると傷みやすいため買ってきたら必ず袋から出して。乾燥にも弱いため、むき出しにして置くのもNG。袋から出して水気を拭き取った後、1本ずつペーパータオルで包んで2〜3本まとめてポリ袋に。野菜室では葉の付いていた方を上にして立てた状態で保存を。ペーパータオルを3〜4日おきに交換して約1ヶ月保存可能。

Recipe /

オレンジジュース漬け冷凍で簡単キャロットラペに

皮をむいたにんじん½本分を細切りに。冷凍用保存袋にオレンジジュース大さじ3とともに入れ、薄く平らにして冷凍。約1ヶ月保存可能。
解凍時は15分程度常温で。サラダのトッピング、ポテトサラダの具材にも使える。ラペにするなら、解凍後のにんじんに酢大さじ1、オリーブオイル大さじ½、塩・こしょう、クミンシード、干しぶどう各適量を混ぜるだけ。

ブロッコリー　カリフラワー　にんじん　とうもろこし　ゴーヤ　アボカド　玉ねぎ　大根　かぶ

029

とうもろこし

ひげをカットして皮付きのまま

これで
冷凍庫にイン！

冷凍しよう

下処理なしで楽チン冷凍

とうもろこしは生のままで冷凍できる。鮮度を保つなら皮付きのままが◎。ひげの先端をはさみで切り落とし、周りの土汚れを払う。1本ずつラップでぴったりと包み、冷凍用保存袋に入れて冷凍庫へ。

解凍 ラップをしたまま耐熱皿にのせ、電子レンジ（600W）で、1本（300g）あたり6〜8分加熱する。皮をむけば「ゆでとうもろこし」に。
料理に使うならラップをしたまま皮ごと電子レンジ（600W）で1〜2分程度加熱してから皮をむき、食べやすく切って使う。まだ硬い場合は、さらに1〜2分加熱。

「Idea
甘みを保つレンチン冷凍

とうもろこしの甘さをより楽しむならレンジ加熱後の冷凍が◎。ひげの先端を切って土汚れを払った後、皮付きのまま耐熱皿にのせてふんわりとラップをし、電子レンジ（600W）で1本（300g）あたり4〜5分、2本（600g）あたり8〜10分加熱。ラップをしたまま粗熱をとり、ラップを外して皮の水分を拭き取る。再度1本ずつラップで包んで冷凍用保存袋へ。解凍する際はラップのまま耐熱皿にのせ、電子レンジ（600W）で、1本（300g）あたり3〜4分加熱する。

すぐに食べるなら冷蔵保存で◎

ペーパータオルで包むとよい

とうもろこしの皮、ひげを取らずに1本ずつペーパータオルで包む。保存袋に入れて口を閉じ、冷蔵庫の野菜室で保存する。冷蔵で3日程度保存可能。

保存 2週間 ゴーヤー

苦みも香りも残す
生のまま半月切り冷凍

旬の時期には大量消費に困りがちのゴーヤー。ぜひ冷凍を活用しよう。種とワタを取り除いて8㎜幅の半月切りにし、冷凍用保存袋に重ならないように入れ、空気を抜いて薄くして冷凍庫へ。薄く広げることで使いたい分だけ取り出しやすくなる。

解凍 炒め物や煮物など、加熱調理の途中に凍ったまま加えるだけ。薄切りで冷凍しているので火の通りも早い。

Idea
苦みを抑える下ゆで冷凍

下ゆでにより苦み成分が湯に流出し、苦みが和らぐ。生と同様、8㎜幅の半月切りにしたゴーヤーを熱湯で20秒、サッとゆで、水分を拭き取って冷凍用保存袋に重ならないように入れ、空気を抜いて冷凍庫へ。凍ったまま炒めたりカレーに入れて煮るなどして加熱調理に使うのがおすすめ。

保存 1ヶ月 アボカド

カットして冷凍が便利
レモン汁を忘れずに

アボカドは変色を防ぐなら丸ごと冷凍がよいが、用途に合わせてカットして冷凍しておくと便利。切ったアボカドは、レモン汁や酢、オリーブオイルなどをまぶして褐変を防ぐこと。使いやすい分量をラップで包み、アボカド同士をなるべく密着させ、空気に触れる面を少なくすると褐変しにくい。冷凍用保存袋に平らに入れ、金属製のバットにのせ、冷凍庫に。

これで冷凍庫にイン！

解凍 使うときは冷蔵庫で解凍。常温での自然解凍もできるが放置すると劣化につながるため注意。

アボカドの種の上手な取り方2選

十字に切って手で取り出す

①アボカドの種を避けてぐるりと一周、皮に切れ目を入れる。②アボカドを90度回転させ、同様に切れ目を入れる（ヘタから見ると十字に切れ目が入る）。切れ目をひねって種周りをゆるませ、身を離して種を取り出す。

ピーラーやスプーンで

①まず皮に一周、切れ目を入れ、切れ目をひねって種周りをゆるませ、実を半分に分ける。②ピーラーの刃を種に当て、種の皮を厚めにむくようにして深く刺し、種を揺り動かして周りをゆるませてから取り出す。うまくいかないときは、大きめのスプーンで種をくり抜いても◎。

玉ねぎ

これで
冷凍庫にイン！

冷凍すると甘みアップ

くし形切り

薄切り

みじん切り

火も通りやすく時短に

使いやすい大きさに
カットして冷凍

玉ねぎは放置して腐らせる前に冷凍するのがベスト！ 皮をむき、くし形切りやみじん切り、薄切など使いやすい大きさにカットして冷凍用保存袋に平らになるように入れ、空気を抜いて封をし、冷凍庫へ。

解凍

>>

カットして
冷凍した玉ねぎは、
味が染み込みやすい

使いたい分だけを手で押し出して、凍ったまま加熱調理。冷凍によって細胞が壊れるためすぐに火が通り、味も染み込みやすくなる。くし形切りは煮物や炒め物などに、みじん切りや薄切りは飴色玉ねぎなどに。

大量に手に入ったら
丸ごと冷凍！

玉ねぎの皮をむき、上下を切り落として1個ずつラップで包み、冷凍用保存袋に入れて冷凍庫へ。

これで冷凍庫にイン！

解凍 丸ごと冷凍した玉ねぎもいろいろ使える

丸ごと冷凍した玉ねぎを凍ったまま鍋で煮ると、甘くてトロトロのスープを作ることができる。カットして使いたい場合は、冷蔵庫で3時間置いておけば包丁が入るので、お好みの大きさに切って加熱調理に使うとよい。

味を染み込みやすくするコツ

十字の切り込みを入れる

玉ねぎの皮をむいて上下を切り落とした後、上下それぞれに1cm弱の深さの十字の切り込みを入れる。このひと手間で、調理の際に味が染み込みやすくなる。

Idea
冷凍玉ねぎならたった10分で飴色に

1. まずフライパンで溶かす

薄切りの冷凍玉ねぎをサラダ油を熱したフライパンに入れる。玉ねぎは保存袋の中でかたまりをほぐしてから入れるとよい。ふたをして強火で2〜3分加熱して溶かし、ふたを外して木べらで炒める。

2. 焦げてきたら水を足す

玉ねぎが焦げてきたら水大さじ1を加え、焦げをこそげ取り玉ねぎに絡ませるようにして炒める。火加減は強火のままでOK。玉ねぎが飴色になったら完成。生の玉ねぎから作るときは数十分〜1時間ほどかかるところが約10分で完成！

3. 飴色玉ねぎも冷凍OK

飴色玉ねぎを使いやすい量で小分けにし、ラップで包んで冷凍用保存袋に入れ、袋の口を閉じて冷凍する。冷凍庫で2週間程度保存可能。スープには凍ったまま入れて加熱すればOK。カレーに入れたりトーストにのせたりする場合は電子レンジで解凍してから使う。

新玉ねぎも
冷凍で長持ち
解凍後も生食できる！

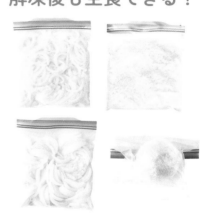

新玉ねぎは生のままでおいしく食べられる一方、水分が多いためあまり日持ちしないので冷凍するのも1つの案。用途に合わせて切っておくと便利だが、丸ごとでもOK。冷凍用保存袋に入れ、空気を抜いて封をし、冷凍庫へ。切ったものは、薄く平らになるように入れる。

自然解凍で生のまま食べられる

冷蔵庫で1〜2時間

保存袋から使う分だけ取り出してラップをかけ、冷蔵庫で1〜2時間置いて自然解凍。水気を絞れば生でおいしく食べられる。薄切りの場合はしょうゆなどの調味料を染み込ませながら自然解凍し、水気を絞ってからかつお節など他の具材を加える。

大根

保存
2〜3
週間

いろんな形に切って
冷凍しておけば

これで
冷凍庫にイン！

輪切り　　いちょう切り　　短冊切り

無駄なく使い切れる

用途別に切って冷凍しておく

大根を1本丸ごと買うと、おいしいうちに使い切れないこともしばしば。そこで味噌汁、煮物、サラダや漬物、大根おろしなど用途別に切って冷凍しておくのがおすすめ。皮をむいて好みの大きさに切ったら、ペーパータオルで水気を拭き取り、使いやすい量で小分けにし、ラップで包む（輪切りはラップなしでOK）。冷凍用保存袋に入れて冷凍庫へ。2週間程度保存可能。

解凍

凍ったまま加熱調理。味噌汁なら、沸騰した湯に冷凍大根を入れて煮る。煮物なら、鍋に冷凍大根と水、調味料を入れて煮る。冷凍大根は煮たときに中心まで味が染みやすく、生の大根で作った煮物よりもほろっとしたやわらかな食感に。

味や食感を保つすりおろし冷凍

水気を少し残す

大根の皮をむいてすりおろし、ザルに入れて自然に水を切る。手で水気を絞ると水分が抜けすぎて食感が悪くなるので注意。冷凍用保存袋に1食分ずつ（写真は150g）入れ、空気を抜くように袋の口を閉じて冷凍する。冷凍庫で3週間程度保存可能。

これで
冷凍庫にイン！

解凍

冷蔵庫で自然解凍または電子レンジの解凍モードで解凍。ザルに入れて自然に水気を切って使う。焼き魚や卵焼きに添えたり、しらす和え、みぞれ煮などに。

下味冷凍なら解凍してすぐ一品完成

冷凍中に味が染み込む

大根の皮をむき、千切りやいちょう切りに。1回で食べる量（写真は約200g）を冷凍用保存袋に入れ、好みのドレッシングや甘酢などを加えて（大根200gに対して大さじ1と½程度）、袋の上から揉んでなじませる。大根を平らにし、空気を抜くように袋の口を閉じ、平らな状態のまま冷凍。冷凍庫で3週間程度保存可能。

これで
冷凍庫にイン！

解凍

冷蔵庫で自然解凍または電子レンジの解凍モードで解凍し、手で水気を絞る。味が薄ければ塩などで味を調える。

かぶ

とりあえず 丸ごと冷凍で

これで
冷凍庫にイン！

おいしさキープ

変色の原因になる 皮は取り除く

かぶのみずみずしさをキープしたまま長持ちさせたいなら、丸ごと冷凍がおすすめ。切断面が少なく水分が飛びにくい。茎の元は冷凍すると褐変するため切り分け、さっと洗って水気をしっかり拭き取り、皮をむく。1個ずつぴったりラップで包んで冷凍用保存袋に入れて冷凍。葉付きの場合、葉や茎も5cmの長さに切って冷凍できる。

解凍

ラップを外して10秒ほど流水に当てる。半解凍状態になったら水気を拭き取り、カットして煮物などに使う。生食もできるので調味してマリネや浅漬けに使ってもOK。
ラップをしたまま耐熱皿にのせて電子レンジ（600W）で3分加熱すればとろとろの状態に。そのまま塩、こしょう、オリーブオイルをかけて食べたり、コンソメスープに入れたりすると◎。

Recipe / 下味冷凍なら 自然解凍で浅漬けに

かぶは皮をむいて2mm厚さの半月切りにし、冷凍用保存袋に平らになるように入れる。かぶ1個（約100g）につき、めんつゆ（2倍濃縮）小さじ2を加え、袋の上から揉んでなじませる。空気を抜いて袋の口を閉じ、冷凍。1ヶ月程度保存可能。
食べる際は、冷蔵庫で自然解凍（100gにつき2時間が目安）。または耐熱皿に移し、ふんわりとラップをして電子レンジで100gにつき45秒加熱しても◎。そのまま浅漬けとして食べたりかに風味かまぼこと和えてもよい。

これで
冷凍庫にイン！

切ってから保存すれば 凍ったまま使える

半月切りや
くし形切りに

皮をむいてから好みの大きさに切り、冷凍用保存袋に平らになるように入れる。空気を抜いて袋の口を閉じ、冷凍。凍ったまま汁物や煮物に加えたり、炒めたりして調理する。冷凍すると繊維が壊れるので短時間でやわらかくなる。

これで
冷凍庫にイン！

ブロッコリー
カリフラワー
にんじん
とうもろこし
ゴーヤ
アボカド
玉ねぎ
大根
かぶ

ごぼう

保存
1ヶ月

筋っぽい食感に
ならない冷凍方法

ごぼうは冷蔵保存でも長持ちするが、ペーパータオルに包んで3日に1回は取り替える必要があり、冷凍保存の方が楽チン。生のまま冷凍なら大きく切って切断面を少なく！　切断面の多いささがきや千切りは炒めてから冷凍。

これで
冷凍庫にイン！

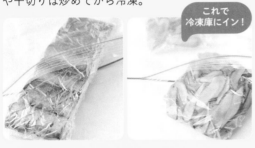

生のまま冷凍する

よく洗ったごぼうを4cm長さに切り、さっと水にさらして水分をよく拭き取る。1回使用分ずつラップに包んで冷凍用保存袋に入れ、金属製のバットに置いて保冷剤をのせて冷凍する。

解凍　凍ったままカットして加熱調理できる。切りにくい場合は常温で3分ほど置いて。煮物、汁物、炒め物など幅広く使える。

炒めてから冷凍

よく洗ってささがきや千切りにしたごぼうは、さっと水にさらして水分をよく拭き取り、サラダ油で軽く炒めてから冷ます。1回使用分ずつラップに包んで冷凍用保存袋に入れ、金属製のバットに置き、上に保冷剤をのせて冷凍する。

解凍　凍ったまま汁物、炒め物、鍋料理などに加えて加熱調理する。ごぼうを炒める手間はかかるが、解凍調理するときは包丁いらずで時短に。

れんこん

保存
1ヶ月

酢水にさらして
縦割り冷凍が便利

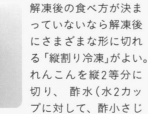

解凍後の食べ方が決まっていないなら解凍後にさまざまな形に切れる「縦割り冷凍」がよい。れんこんを縦2等分に切り、酢水（水2カップに対して、酢小さじ1程度）にさらし、水気を拭き取る。ラップでぴったり包み、冷凍用保存袋に入れて冷凍庫へ。

解凍　常温に3分ほど置くと、包丁の刃が入るくらいに解凍される。さまざまな形にカット可能。

これで
冷凍庫にイン！

輪切り冷凍なら
使う分だけ取り出せる

れんこんの皮をむき、厚さ1cmの輪切りにし、縦割り同様、酢水にさらして、水気を拭き取る。冷凍用保存袋に入れて冷凍。

解凍　冷凍庫から取り出したらそのまま調理OK。れんこんステーキや挟み焼きにぴったり。

すりおろして
冷凍もできる

これで
冷凍庫にイン！

れんこんの皮をむいてすりおろし、大さじ1ずつラップで包んで冷凍用保存袋に入れて冷凍。解凍法はラップに包んだまま電子レンジ（500W）で2分加熱すると、もちもち食感のれんこん餅に。温めただし汁をかけて、三つ葉を添えていただく。また、お好み焼きやハンバーグのタネに加えるときは、電子レンジで1分加熱し、解凍してから加えて。

かぼちゃ

買ったらすぐ種とワタを取って！

カット冷凍が便利

これで
冷凍庫にイン！

ごぼう
れんこん
かぼちゃ
さつまいも
じゃがいも
里芋
山芋・長芋
しいたけ

用途に合わせて切り方をチェンジ

かぼちゃは種とワタが傷みやすいので、買ったら即、取り除いておくのが鉄則。日持ちも3〜4日程度と短めなので、すぐ使わない場合は冷凍が◎。種とワタをスプーンなどでくり抜いた後、余分な水気を拭き取って小さめの角切りや薄いくし形切りに切る。1回分ずつ小分けにしてぴったりとラップで包み、冷凍用保存袋へ。

解凍

凍ったまま加熱調理し、食感、味、色の変化を軽減して。角切りかぼちゃは小さめに、くし形切りのかぼちゃは薄く切っておくと、比較的早く火が通る。調理する前に事前解凍すると、解凍中に変色が生じるうえ、味や食感が損なわれてしまう。

おいしさ優先ならマッシュして冷凍

ひと手間でよりおいしく

ゆでて潰したかぼちゃは1回使用分（写真は80g程度）をラップに広げて平らに包み、冷凍用保存袋に入れて冷凍。解凍の際は牛乳（かぼちゃ80gに対し100〜150㎖）と一緒に煮ればかぼちゃスープに。電子レンジで解凍するなら加熱時間を短めにし、水分が飛びすぎないよう様子を見ながら小刻みに解凍して。

これで
冷凍庫にイン！

かぼちゃの解凍後に「変なニオイ」？

考えられる2つの理由

考えられる原因の1つは、適切な下処理をしていないせいで生じる劣化。特に、種とワタを取り除かずに冷凍すると傷みやすく、ニオイが生じる原因に。2つ目は冷凍庫内のニオイ移り。密封せずに冷凍すると冷凍庫内のニオイがかぼちゃに移りやすくなるうえ、冷凍焼けの原因にもなるので注意して。

037

さつまいも

保存 1ヶ月

生のままカット冷凍

これで冷凍庫にイン!

使い勝手が抜群!

生のまま冷凍するので
煮崩れも変色もしづらい

さつまいもは常温保存だと芽が出たり、冷蔵保存だと黒いブツブツが出たり、意外と保存が難しい。劣化する前に切って冷凍するのがおすすめ。さつまいもは、たわしなどを使って泥をきれいに落とし、水気を拭き取ってスティック状、いちょう切り、輪切りに。切断面が多いスティック状といちょう切りは少量ずつラップで包み、輪切りはそのまま、それぞれ冷凍用保存袋に入れて平らになるように広げ、冷凍庫へ。

スティック状

いちょう切り

輪切り

解凍 輪切り→凍ったまま煮物に

さつまいもは凍ったまま加熱調理して煮物に。厚さ1cmのさつまいもの場合は8分程度煮る。衣をつけて天ぷらにするのもおすすめ。

いちょう切り→ごはんや味噌汁に

ごはんを炊く際に、冷凍さつまいもを加えて通常モードで炊飯。お米2合に対して、さつまいも200gが目安。味噌汁の場合は、凍ったままのさつまいもを鍋に入れて5分程度で火が通る。

スティック状→芋けんぴや大学芋に

凍ったままの状態で鍋に入れて揚げ、芋けんぴやスティック大学芋に。凍ったまま揚げることでさつまいものホクホク感を保つことができる。

Idea
焼き芋を冷凍すると
絶品スイーツに変身!

冷めた焼き芋をラップで包んで冷凍。凍った焼き芋は3分ほど常温で自然解凍すると包丁で切れるようになる。さらに7分ほど置くと、スプーンですくってスイーツのように食べられる(解凍時間は大きさや形により変わる)。

じゃがいも

生のまま丸ごと冷凍で4ヶ月も保存可能！

ストック野菜としておなじみのじゃがいも。ただ常温保存では芽が出たり、冷蔵保存ではシワシワになったりと、鮮度を保つのは意外と大変。それが冷凍ならなんと4ヶ月も保存できる。きれいに洗って水気を拭き取り、包丁で芽を取ってからラップでぴったり包んで冷凍用保存袋へ。ポイントは冷凍庫の中でも温度変化が少ない「奥」に保存すること！

これで冷凍庫にイン！

保存 4ヶ月

1ヶ月で使い切るなら冷蔵庫に

適度な温度を保って

1個ずつペーパータオルで包み、ポリ袋に入れて口を閉じる。野菜室で約1ヶ月保存可能。ペーパータオルは緩衝材の代わりにもなる。ただし新じゃがは水分が多く傷みやすいので1週間以内に食べ切ること。

解凍

ラップで包んだままの状態で耐熱容器にのせ、中1個（100〜150g）あたり電子レンジ（600W）で2〜3分加熱し、上下を返してさらに2〜3分加熱する。味重視なら、300Wまで落として両面4〜6分ずつじっくり加熱すると、甘みが一層引き立つ。

里芋

保存 1ヶ月

ラップで包んで冷凍 解凍後、皮がツルッとむける

皮付きのまま丸ごと冷凍OK

これで冷凍庫にイン！

里芋は毛の流れに逆らうようにして繊維と泥を取り除きながら流水で洗い、水気をしっかりと拭き取る。1個ずつラップで包み、冷凍用保存袋に入れて冷凍庫へ。里芋が小さい場合は、2〜3個まとめてラップで包んでも◎。

解凍　ラップで包んだまま電子レンジ（500W）で1個あたり約90秒加熱。上下を返して再度約90秒加熱（時間は目安）。冷めないうちにペーパータオルで包みながら手で皮をむく。やけどに注意。

山芋・長芋

保存 1ヶ月

1食分ずつ冷凍すれば 解凍後に手を汚さず使える

袋の上からたたいて粗おろしに

面倒な皮むきやカットは済ませてから冷凍。おすすめは、すりおろすより手軽な「粗おろし」。山芋は皮をむいて適当な大きさに切り、1食分ずつ冷凍用保存袋へ。袋の上から麺棒でたたき、好みのなめらかさまで潰す（袋が破れない力加減で）。変色予防に酢を数滴よく混ぜ、空気を抜くように袋の口を閉じて冷凍する。

解凍　袋ごと流水解凍。多めに保存した場合は、冷蔵庫で解凍、または電子レンジで解凍する。生食する場合は、解凍後すぐにごはんにかけたり、納豆に混ぜたりして食べる。

しいたけ

しいたけは冷凍することで

旨みがアップ！

生のしいたけと同じように使える

しいたけは冷凍により旨みがアップ。食感も変わらず、調理の際も味が染み込みやすくなる。洗うと風味が落ちるので、気になる汚れがあったらペーパータオルで拭いて落とす。石づき（軸の下の硬い部分）・軸・かさに切り分け、石づきは取り除く。しいたけのかさは丸ごと冷凍用保存袋に入れる。軸はまとめてラップで包み、かさと一緒に冷凍用保存袋に入れて冷凍する。

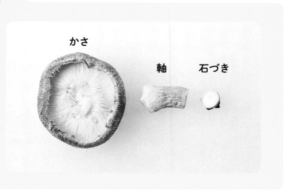

かさ　軸　石づき

ごぼう
れんこん
かぼちゃ
さつまいも
じゃがいも
里芋
山芋・長芋
しいたけ

解凍 しいたけのかさは凍ったまま使用OK。カットする場合は、1〜2分常温に置けば包丁が入る。カットした冷凍しいたけは煮物の具に。もしくは、薄切りにして炒め物や、粗みじん切りにして炊き込みごはんに加えてもよい。旨みがよく出て、味もよく染み込む。

しいたけの軸は捨てないで！

これで冷凍庫にイン！

しいたけの軸は、歯ごたえがあるため捨ててしまいがちだが、実は旨みも豊富。少量では料理に使いにくいため、しいたけのかさだけ使って軸が余ったら、その都度冷凍用保存袋に入れ、使いやすい量（6〜10個程度）がたまるまでストックするとよい。この場合はラップで包まなくても大丈夫。冷凍で約2ヶ月保存可能。

解凍 必ず加熱調理を。凍ったままカットして使用可能。スープ・炊き込みごはん・野菜炒め・かき揚げなどの具にしてもよい。軸を丸ごとトースターでこんがり焼き、しょうゆをかけて食べても◎。

Recipe／
しいたけの軸のバター炒め風

しいたけの軸6個分（約30g）を10分程度常温に置いて自然解凍し、耐熱皿に入れてスプーンの背で押し潰す。中華ドレッシング（ポン酢しょうゆでも可）小さじ1、バター5gを加えてラップをふんわりとかけ、電子レンジ（500W）で1分30秒加熱する。軸を押し潰すことで熱が通りやすくなり、ジューシーに仕上がる。

干ししいたけはまとめて戻して冷凍が正解

干ししいたけは裏側に汚れやほこりがたまりやすいので、水でよく洗う。保存容器に干ししいたけを入れて、かぶるくらいの水を加え、冷蔵庫で約5時間置く。冷水でじっくり戻すことで旨み成分が引き出される。夜寝る前に冷蔵庫に入れて翌朝に確認すると◎。しいたけがふっくらし、戻し汁が色づいたらOK。

戻したしいたけは、戻し汁から取り出し、重ならないように冷凍用保存袋に入れて冷凍。

戻し汁は、冷凍用保存袋に入れ、冷凍庫内に平らに置いて冷凍する。製氷皿を使ってもよい。凍ったら製氷皿から取り出し、冷凍用保存袋に移してストック。どちらも冷凍庫で約1ヶ月保存可能。

解凍

しいたけの煮物
冷凍の戻ししいたけを常温に1分置き、十文字の切り目を入れて煮込む。冷凍の戻ししいたけを使うと、約15分煮込むだけで味が染み込む。

炊き込みごはん
冷凍の戻ししいたけを薄切りにして、戻し汁と一緒に炊き込むだけ。具に鶏肉やにんじんも加えて。戻し汁は、冷凍状態のまま、使う分だけ手で割って使用。

えのきだけ

保存袋の空気を

これで冷凍庫にイン！

しっかり抜いて
劣化を防ごう

解凍

冷凍したえのきだけは自然解凍すると水分が出て、味が悪くなりがち。必ず調理直前に取り出し、凍ったまま加熱を。

レンチンでナムルに

耐熱ボウルにえのきだけを凍ったまま入れ、ふんわりとラップをして100gにつき電子レンジ（600W）で2分加熱し、ごま油、おろしにんにくなどの調味料と和える。

味噌汁やスープに

鍋にだし汁やスープを入れて火にかけ、煮立ったらえのきだけを凍ったまま加えてさっと煮る。火が通ったら味噌などで調味する。

炒めてソテーに

フライパンにバターを溶かして、えのきだけを凍ったまま炒め、しょうゆを絡めれば、短時間でバター炒めが完成。

小分け冷凍もおいしさのコツ

えのきだけは生のまま冷凍すると細胞壁が壊れて、旨み成分が出やすくなる。洗ったり、加熱したりせずそのまま冷凍OK。根元を包丁で切り落とし、1株を2〜3つ（1回で使い切る量ずつ）に分ける。半分の長さで使う場合はここで切っておく。小分けにしたえのきだけをそれぞれ冷凍用保存袋に入れてほぐし、袋の端から丸めながら空気を抜いていく。これで真空に近い状態になり劣化を防げる。

Idea

干してから冷凍すると
旨み凝縮＆より長持ち

えのきだけは根元を切り落とし、軽くほぐしてザルに広げる。途中裏返しながら半日程度、天日干しする。冷凍用保存袋に平らになるように入れ、空気を抜いて口を閉じ、冷凍。2〜3ヶ月保存可能。使う際は、生で冷凍したときと同様、凍ったまま炒めたり、煮たりして調理する。解凍時に水分が出にくくなるため味が落ちにくい。

しめじ

保存 3週間

小房に分けて
洗わずに冷凍しよう

しめじは、生のまま冷凍すると加熱時に旨み成分が出やすくなるというメリットが。水洗いすると香りや食感が落ちるため、洗わずに冷凍する。汚れが気になる場合は、濡らしたペーパータオルで軽く拭き取る程度でOK。石づき（軸の先の部分）を包丁で切り落とし、小房に分けて冷凍用保存袋に入れ、空気を抜いて袋の口を閉じ、冷凍する。

これで冷凍庫にイン！

解凍　冷凍したしめじは自然解凍すると水分が出て、食感が損なわれがち。必ず凍ったまま調理を。

レンチンで和え物やおひたしに

耐熱ボウルに凍ったままのしめじを入れ、だし・調味料を加えてふんわりとラップをする。しめじ1パック分（正味90g）につき電子レンジ（500W）で2分加熱して完成。

炒めてソテーに

フライパンにオリーブオイル、にんにく、赤唐辛子を入れて炒め、香りが立ったらベーコン、凍ったままのしめじを加え、さらに炒める。しめじがしんなりしたら、塩・こしょうで味を調える。

スープや味噌汁に

鍋にだし汁やスープを入れて火にかけ、煮立ったら凍ったままのしめじを加えてさらに煮る。火が通ったら味噌などで調味する。

エリンギ

保存 1ヶ月

大きめカット冷凍で
新鮮さをキープ

エリンギは真ん中に包丁を入れて縦半分にカットして冷凍するとよい。切断面が少なく空気に触れにくいため、新鮮さをキープできる。水洗いすると風味が損なわれるため洗わず、汚れが気になる場合は軽く拭き取ってからカットし冷凍用保存袋へ。

これで冷凍庫にイン！

解凍　冷凍したエリンギは、電子レンジ解凍や自然解凍は不要。凍ったままカットして加熱調理すれば、食感を損なわずにおいしく食べられる。

石づきがついている場合は？

エリンギの軸の根元に薄い線があれば、そこから下は石づき。かたくて食べられない部分なので、切り落としてから保存する。

ここから下が石づき

「どんな切り方」がいい？

「縦薄切り」は繊維をしっかり残せるため、エリンギならではの食べ応えを楽しみたいソテーに最適。「乱切り」は切断面が多くなり、味が染み込みやすくなるので、煮物にぴったり。繊維を細かく切る「さいの目切り」は素材の旨みが出やすくなるため炊き込みごはんやスープによく合う。

縦薄切り　乱切り　さいの目切り

まいたけ

鮮度がいいうちに

これで
冷凍庫にイン！

冷凍するのが正解

冷凍まいたけの劣化を防ぐには

冷凍まいたけの風味を損なわないためには、「新鮮なうちに」「洗わずに」冷凍すること。食べやすい大きさに手で裂いてそのまま冷凍用保存袋に入れ、空気を抜くようにして口を閉じ、冷凍庫へ。天ぷらや鍋に使う場合は大きめに、汁物や炊き込みごはんに使う場合はやや小さめに裂くとよい。

解凍

自然解凍では水分が出て、味や食感が損なわれがち。必ず凍ったまま加熱調理。

お吸い物や鍋に

冷凍したまいたけは細胞が壊れて旨み成分が出やすくなるため、汁物や鍋に入れるとその旨みを余すことなく味わえる。鍋にだし汁やスープを加熱し、沸騰したら凍ったままのまいたけを加え、火が通るまで煮る。

ソテーにする

フライパンにオリーブオイル、にんにく、赤唐辛子を入れて火にかけ、香りが立ったら凍ったままのまいたけを加え、炒める。きのこがしんなりしたら、塩・こしょうで味を調えて完成。

凍ったまま揚げて天ぷらに

冷凍まいたけに薄く天ぷら粉（または小麦粉）をまぶしてから衣を付け、揚げ油でカラリとするまで揚げる。冷凍庫から出してすぐのまいたけを使うと、油ハネしにくい。

Idea

から炒り冷凍なら
旨みが凝縮＆より長持ち

冷たいフライパンに食べやすい大きさに裂いたまいたけを広げ、中火にかける。ときどき混ぜながらじっくり炒め、水分を飛ばす。量が半分程度になったらバットに取り出し、冷ます。そのまま冷凍用保存袋に入れて冷凍。1ヶ月程度保存可能。香ばしさが加わるので、汁物や煮込み料理、炊き込みごはんに入れるとおいしい。

マッシュルーム

石づきだけ取って
丸ごと冷凍で長持ち

これで
冷凍庫にイン！

生のマッシュルームは水分に弱く、パックのまま冷蔵保存すると悪くなりやすい。丸ごと冷凍なら切断面がないので乾燥しにくく、みずみずしさをキープできる。石づきや軸の先端が汚れた部分は切り落とし、表面の汚れをペーパータオルで拭き取る。レモン汁があれば切り口にかけ、そのまま冷凍用保存袋へ。

解凍 自然解凍すると、水分が出て食感が損なわれがち。必ず凍ったまま加熱調理をして。おすすめはアヒージョ。

使いやすさ重視なら
カット冷凍

使用頻度の高い切り方は次の3つ。①四つ割り（スープやマリネ、ソテーなどに）②スライス（ピザやパスタ、ピラフなどに）③半割り（シチューやハヤシライス、カレーなどの煮込み料理に）。下を参考にレモン汁をかけ、切り方の種類別にラップで小分けに包み、冷凍用保存袋に入れて冷凍する（切り方が1種類ならラップは不要）。

レモン汁で変色を防ぐ

カットした場合は酸化による変色を防ぐため、切り口にレモン汁をかける。丸ごとの場合は軸の切り口にかけるとなおよいが、こちらは必須ではない。

解凍 凍ったまま加熱調理に使用。袋（もしくはラップ）の上から軽く揉むと、マッシュルームがパラパラになって使う分だけ取り出しやすくなる。

なめこ

冷凍することで
ヌメリと味をキープ

これで
冷凍庫にイン！

日持ちが2～3日と足の早い、なめこ。冷凍することで長期保存できる。未開封の場合は袋のまま、開封済みなら袋から取り出して冷凍用保存袋に入れる。薄く広げておくと、使うときに少量ずつポキポキと折れて便利。金属製のバットにのせて冷凍庫に入れると冷凍の速度が早まり、風味が落ちるのを防げる。

解凍 冷凍なめこは凍ったまま加熱調理する。味噌汁ならそのまま沸騰しただし汁に入れて調理すればOK。なめこ特有のヌメリも復活する。

株付きなめこを冷凍するなら？

石づきを取って冷凍する

しめじのように株が付いた状態のなめこは、石づきを除いてから冷凍する。かさ部分などにおがくずが付いている場合は、手で取り除く。冷凍用保存袋に入れて薄く広げ、金属製のバットにのせて冷凍庫へ。

Recipe ／ 豆腐の
なめこおろしがけ

冷凍なめこ1袋分（約100g）をゆで、ひと煮立ちしたらザルにあげる。粗熱がとれたら大根おろし100gと混ぜ、豆腐½丁分にのせてポン酢大さじ1と千切りした大葉1枚分を添える。なめこと大根おろしの相性が抜群で、お酒のアテにもぴったり。

えのきだけ しめじ エリンギ まいたけ マッシュルーム なめこ もやし いんげん

もやし

うっかりダメにしがち
ならば次から冷凍を

安くて家計にやさしいことで人気の野菜だが、足が早いためダメにしてしまいがち。冷蔵保存なら生では2〜3日のところを、冷凍ならば2週間まで延ばすことができる。冷凍の際は洗ってからザルにあげて水気をしっかり切る。もやし1袋（約200g）は、Mサイズの冷凍用保存袋にちょうど入るので、全量入れたら空気を抜いて冷凍庫へ。

これで
冷凍庫にイン！

買ってきた
袋のまま冷凍してOK？

洗うことで
よりおいしく

もやしには、袋に「洗わずにそのまま使えます」と書かれている商品も。そのままでも冷凍はできるが、一度、流水で洗うのがおいしさキープのコツ！ 洗うことで特有の臭みも軽減できる。水気が残っていると霜の原因になるので、しっかり切ること。

解凍
生ではなく、必ず加熱調理で使う。調理の際は凍ったままでOK。袋の上から軽く揉むと、もやしがバラバラになって使う分だけ取り出しやすくなる。冷凍によって味の染み込みがよくなるので、炒め物やスープなどに入れるのがおすすめ。

いんげん

ヘタと筋だけ取って
生のまま冷凍しよう

いんげんの筋は、解凍後には取りにくいため冷凍前に処理を。ヘタの先をつまんで筋がある方に折り、スーッとゆっくり下に向かって引っ張り、筋を取る。反対側からも同様に。スーパーに並ぶいんげんは、細い段階で収穫されることが多く、筋が気にならない場合は取り除く必要はない。

いんげんは生のまま冷凍するのが最も手軽。洗って水気を拭き取ってから、ヘタと、必要に応じて筋を取り、冷凍用保存袋に入れて冷凍庫へ。

これで
冷凍庫にイン！

下ゆで冷凍なら甘みが残る

保存期間も
長くなる

フライパンに水大さじ3を入れて沸かし、いんげんと塩小さじ1/4を加え、ふたをして90秒、蒸しゆでにする。解凍後にやわらかくなるので硬めにゆでるとよい。氷水にとって余熱を断ち切り水気を拭き取り、ヘタと筋を取る（上記参照）。冷凍用保存袋に入れて冷凍庫へ。

解凍
凍ったまま加熱調理がおすすめ。凍ったまま切って、水分を飛ばしながら炒めたり、煮浸しや味噌汁に。自然解凍後に加熱調理すると、甘みがあまり感じられず、食感も損なわれがち。

解凍
おすすめは、いんげんを凍ったまま切り、めんつゆを少量かけてから、冷蔵庫で50gにつき2時間ほど解凍し、おひたしとして食べる方法。それ以外では凍ったまま炒めたり、煮びたしにするなどもOK。

枝豆

おいしさキープなら生のまま冷凍がよし

枝豆は生のまま冷凍が◎。まず300gに対して、大さじ1弱の塩を加え、軽く揉んで5分おく。ここで枝豆からアクや汚れが出てくる。このひと手間によりえぐみが薄れて、よりおいしくなる。5分たったら枝豆をザルに移して軽く水洗い。水気を拭き、冷凍用保存袋に入れたら空気を抜くように口を閉じ冷凍庫へ。

これで冷凍庫にイン!

枝付きの場合はキッチンバサミなどでさやを切り離す。このとき、さやを切りすぎないように、付け根ぎりぎりの部分で切り離すこと。

下ゆで冷凍ならレンチンですぐ食卓に

食べたい分だけ解凍できる◎

塩揉みして水で洗い流し、水気を拭くまでの工程は生の冷凍の場合と同じ。その後、枝豆300gに対して湯1ℓを沸騰させ、塩大さじ1杯＋½と枝豆を入れ、約3分30秒ゆでる。ザルにあげてうちわなどであおぎ、素早く冷ます。流水で冷ますと風味が逃げてしまうのでNG。冷めたら冷凍用保存袋に入れて冷凍庫へ。

解凍

生のまま冷凍

最初に凍ったままさやの両端を約2〜3mm切り落とす。これにより中の豆までしっかり塩味が付く。冷凍枝豆300gに対して湯1ℓを沸騰させ、塩大さじ1杯半を入れて凍ったままの枝豆を約5分ゆでる。

下ゆで冷凍

耐熱皿に移し、ラップをかける。枝豆300gの場合は電子レンジ(600W)で約4分間、100gは約1分30秒加熱。

≫

スナップエンドウ

ゆでて冷凍すれば自然解凍で食べられる

これで冷凍庫にイン!

スナップエンドウをすぐに使わないならゆでて冷凍がおすすめ。両側の筋を取り、鍋にたっぷりの湯を沸かし、湯に対して1%の重量の塩を入れ、スナップエンドウを40秒ほどゆでる。その後、ザルにあげて粗熱をとり、1回に使う量ずつ小分けにラップで包み、冷凍用保存袋に入れて冷凍庫へ。

 解凍 5分程度常温で自然解凍し、そのまま食べる。シャキシャキした食感が残っており、生をゆでたものと遜色ない味わい。

筋の取り方をおさらい

先端の部分(ヘタの反対側)を少し折り、筋を反り返っている方に向かって引っ張る。ヘタの部分をぽきっと折り、そのまま筋を反対側に向かってスーッと引っ張る(上写真)。冷凍後は筋を取り除くのが難しいので、事前に処理を。

時間がないなら生のまま冷凍

これで冷凍庫にイン!

食べる際はソテーが◎

ゆでる時間がないときは、食感が落ちるが生で冷凍も可能。筋を除いてから、冷凍用保存袋に平らになるように入れて冷凍庫へ。使用する際は凍ったまま油で炒める調理がベスト。ゆでたり、電子レンジでの加熱調理では、味は変わらないものの見た目や食感がやや損なわれる。

しょうが

半端に余ったしょうがは

◯切って冷凍が正解

用途別で切り方をチョイス

しょうがは、食べやすく切って冷凍保存しておくと、すぐに調理できて便利。調理で使い切れずに、半端に残ったしょうがの保存にもおすすめ。薄切り、千切り、みじん切りなど用途別に切り、ペーパータオルでしっかりと水気を拭き取る。カットしたしょうがは小分けにしてラップでぴったりと包み、冷凍用保存袋に入れて冷凍庫へ。

これで冷凍庫にイン！

解凍

しょうがは凍ったまま和え物にしたり、他の食材と炒めたりするなど、幅広い料理に活用できる。

冷蔵なら水につけると グンと長持ち

しょうがはよく洗い、ぬめりの原因となる表面の汚れを落とす。皮はむかなくてよいが、黒ずみや、傷んでいる部分があればここで切り落とす。しょうがが大きい場合は、1片分に切ってもよい。その場合は、切った後に改めて全体を水で洗う。その後、しょうがが入る大きさの保存容器や瓶にしょうがを入れ、全体がかぶるくらいの水を注ぎ、ふたをしっかりと閉めて冷蔵庫の野菜室に保存する。

POINT しょうがを使う際、もしくは1週間おきを目安に保存容器をさっと洗い、水を取り替える。1ヶ月程度保存可能。使う際は、しょうがのカット面を薄く切り落とす

余らせがちな 新しょうがも冷凍

新しょうがは洗って水気を拭き取り、黒ずんでいる部分やかたくなっている部分を薄く切り落とす。ピンク色の部分は、先のかたい部分だけ切り落とせばOK。その後、繊維を断ち切るようにして2mmの厚さに切る。Mサイズの冷凍用保存袋に入れてできるだけ空気を抜いて封をし、冷凍庫で保存する。1ヶ月程度保存可能。

これで冷凍庫にイン！

POINT 大袋にまとめて入れるのではなく、使い切りやすいサイズの袋で冷凍することで、冷凍庫から出し入れすることによる温度変化の影響を減らせる。

解凍 凍ったまま袋ごと軽く揉んでほぐし、使いたい量だけ取り出して、炒め物などに使う。おすすめは、新しょうがと鶏肉と長ねぎの甘辛風味の炒め物。

Recipe
甘酢漬けも冷凍新しょうがなら あっという間に完成

耐熱ボウルに冷凍新しょうが（スライス）100g、砂糖大さじ1+½程度（15g）、市販の寿司酢100mlを入れ、ふんわりとラップをかけて電子レンジ（600W）で3分程度加熱。粗熱がとれたら保存容器に入れる。冷蔵庫で1ヶ月程度保存可能。寿司酢は酢100ml・砂糖大さじ5（45g）・塩少々で代用可能。

しょうが

にんにく

大葉

みょうが

三つ葉

ゆず

バジル

パクチー

にんにく

皮ごと冷凍なら 6ヶ月も保存できる

バラバラにしてラップで包む

にんにくを常温や冷蔵庫で長く保存すると芽が出たり、シワシワになったり。それを防ぐには皮ごと冷凍がおすすめ。1片ずつバラバラにし、2〜3片ずつラップで包んでまとめて冷凍用保存袋に入れ、冷凍庫へ。

これで冷凍庫にイン！

解凍

凍ったまま根元部分を切り落とす。にんにくは中までカチコチに凍ることがないので、簡単に切ることができる。水に1分ほどつけると、切り落とした根元部分から皮がするっとむける。

1〜2ヶ月で使うなら冷蔵庫へ

温度の低いチルド室に

にんにくは冷蔵庫でも1〜2ヶ月程度持つ。ポイントは温度の低いチルド室に入れること。房からばらさず、丸ごとペーパータオルで包み、保存袋に入れて保存する。

カットして冷凍ならすぐに使える

2週間ほど保存可能

みじん切りや薄切り、すりおろしなど用途に合わせてカットする。大さじ1程度に小分けにしてラップで包み、冷凍用保存袋に入れて口を閉じ、冷凍庫へ。ニオイが強いため、しっかりと密封して保存すること。やや香りが飛びやすいデメリットはあるが、半端に残ってしまった場合や、用途が決まっている場合などに便利。使う際は凍ったまま加熱調理に。

これで冷凍庫にイン！

大葉

しなびる前に！便利な千切り冷凍を

大葉を長期保存したい場合は、洗って水気を拭き取ってから千切りにして冷凍するのが便利。冷凍用保存容器に入れてふたをして冷凍庫へ。葉を潰さないようにふんわりと容器におさめるのがポイント。

解凍

冷凍庫から出すとすぐに解凍されるので、使う分だけ手早く取り出す。生の大葉に比べて色がやや濃くなるが、そのまま薬味として使用できる。変色が気になる場合は、みじん切りにしてハンバーグやつくねのタネなどに混ぜて使うのがおすすめ。大葉の風味が食欲をそそる。

2週間で使い切るなら冷蔵庫へ

1 水の中でカット
ハサミで大葉の茎の先端1〜2mmを切る。切り口からできるだけ空気が侵入しないように水の中でカットするとよい。

2 3〜4日に1回水を替える。
縦長の容器に水を1〜2cm程度入れ、切り口をつける。水の量は茎の長さに合わせて調整し、大葉の茎のみが水につかるように注意。容器はふたをして密閉する。ふたがなければラップをかけて輪ゴムで留めてもよい。野菜室で約2週間保存可能。

みょうが

長期保存するならラップに包んで冷凍

これで冷凍庫にイン！

みょうがは鮮度が落ちやすく、そのまま冷蔵庫に入れると2〜3日で傷んでしまうため、冷凍も一案。よく洗って水気を拭き取り、軸部分が傷んでいたら切り落とす。その後、1個ずつラップでぴったりと包み、まとめて冷凍用保存袋に。これを金属製のバットにのせて冷凍する。

解凍

凍ったまま、食べやすく切って調理する。みょうがは中に隙間があるため、凍ったままでも切りやすい。カチカチに凍って切りづらい場合は、常温で4〜5分置くとよい。やや水っぽくなるため、薬味より味噌焼きなどの加熱調理向き。冷凍によって味が染み込みやすくなるので、ピクルスにするのも◎。

カット冷凍ならすぐに薬味に

小口切りや千切りに
みょうがは洗って水気を拭き、小口切りや千切りにする。小分けにしてラップで包み、冷凍用保存袋に入れて金属製のバットの上で冷凍。凍ったままそうめんなどに薬味としてトッピングしたり、そのまま味噌汁に入れて具材にしたりする。風味・食感はやや損なわれるが、必要な分だけすぐに使えて便利。

しょうが
にんにく
大葉
みょうが
三つ葉
ゆず
バジル
パクチー

三つ葉

保存
生3週間
ゆで4週間

少量ずつ使える
生のまま冷凍が便利

これで冷凍庫にイン！

少量使って余らせがちな三つ葉は、刻んで冷凍するのがおすすめ。さっと洗って水気を拭き取り、使いやすい大きさにざく切りにする。冷凍用保存袋に入れ、空気を抜いて袋の口を閉じ、冷凍庫へ。

解凍

凍ったまま汁物や天ぷら、卵焼きなどに使うとよい。袋の上から軽く揉むと、パラパラになって使う分だけ取り出しやすくなる。必ず加熱料理で使用。

「ゆでてから冷凍」なら
色味も鮮やか

ゆでてカットする

三つ葉は水でさっと洗って根元を切り落とす。鍋に800mℓの湯を沸かし、塩小さじ1を加えて三つ葉を入れ、さっとゆでたらすぐに氷水にとって色止めする。水気をしっかり絞り、3〜4cmの長さに切る。

ラップで小分けに

これで冷凍庫にイン！

1回に使う量ずつ小分けにラップで包み、冷凍用保存袋に入れる。空気を抜いて袋の口を閉じ、冷凍する。4週間程度保存可能。使う際は、凍ったまま汁物や雑炊に加えて加熱調理する。凍ったまま電子レンジ（500W）で40秒加熱（※½束＝約25gにつき）し、おひたしや和え物にしても。

ゆず

保存
丸ごと3ヶ月
皮・果汁1ヶ月

使い切れないなら
皮と果汁を分けて冷凍

皮の細切りや自家製ポン酢など、少量ずつ使うことの多いゆず。余りそうならばあらかじめ皮と果汁に分けて冷凍しておくと使い勝手抜群。

これで冷凍庫にイン！

皮

果汁

ゆずの皮を約2cm幅になるようにむく。皮が重ならないようにラップに並べてぴったり包み、冷凍用保存袋に入れて冷凍庫へ。

解凍

ゆずの皮は凍ったまま細切りにし、料理の香りづけやトッピングに。うどんにのせたり、鶏団子に混ぜたり、アイスクリームに添えるのも◎。果汁は常温に10分ほど置いて自然解凍。醤油や昆布・かつおだしに加えてポン酢に、湯・はちみつと混ぜて「ホットはちみつゆずドリンク」にするとよい。

丸ごと冷凍なら3ヶ月長持ち

たくさん保存するなら

1つずつラップで包み、冷凍用保存袋に入れて冷凍庫へ。約3ヶ月保存可能。凍ったままおろし金で皮をおろしてポテトフライや唐揚げにふりかけるとおいしい。15分ほど常温に置けば皮をそぎ切りにでき、さらに45分置けば、果汁を搾れる。解凍後の再冷凍はNG！

皮をむいたゆずを搾り、果汁をとる。金属製のバットにアルミカップを並べ、搾った果汁を流し入れ、冷凍庫に移して凍らせる。製氷皿でもOK。果汁が凍ったら、冷凍用保存袋に入れて冷凍庫へ。

しょうが
にんにく
大葉
みょうが
三つ葉
ゆず
バジル
パクチー

バジル

長期保存なら ラップで包んで冷凍を

バジルをさっと洗い、ペーパータオルで水気をしっかり拭き取る。バジルの葉を茎から外し、広げた状態で数枚まとめてラップに包む。このときバジルの葉同士が重ならないように注意。それを冷凍可能な保存容器に入れ、冷凍庫へ。容器に入れることで他の食材に当たって崩れるのを防ぐ。

解凍 凍ったまま料理に使う。完全に解凍されると香りが逃げてしまいやすく、また食感も見た目も悪くなる。

刻んでオイル漬け冷凍

これで冷凍庫にイン!

より長持ち&香りもキープ

オリーブオイルに漬けて冷凍すると、香りが逃げにくく、1ヶ月の長期保存ができる。作り方は、バジルの葉をみじん切りにし、冷凍用保存袋に入れ、バジルがひたひたになるくらいのオリーブオイルを加える。薄く伸ばし、平らに寝かせた状態で冷凍保存。

解凍 使いたい量だけ折って取り出し、冷蔵庫に30分ほど置いて解凍。バジルソースとして、カプレーゼやパスタなど幅広く使える。

1週間で使うなら冷蔵保存でも

乾燥から守って

湿らせたペーパータオルを保存容器に敷き、バジルを入れる。葉が傷つきやすいため、ゆとりのあるサイズの保存容器へ、押し込まないようやさしく入れるとよい。バジルの葉は洗うと劣化することがあるので保存時は洗わないでOK。上から湿らせたペーパータオルをかぶせてバジルを挟み、容器にふたをする。1週間ほど保存可能。

パクチー

新鮮なまま冷凍すれば 香りも色も長持ち

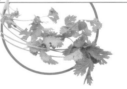

パクチーは流水で洗ってボウルに入れ、根が水につかるように水を張り、5分おく。水気を拭き取り、根を切り分ける。葉と茎はざく切りにしてLサイズの冷凍用保存袋に入れ、空気を押し出し密封して冷凍。使う際は、袋の外から揉んでほぐし、必要な分だけを取り出して。根は1本ずつラップで包み、Mサイズの冷凍用保存袋に。根は香りが強く、スープのだしや、きんぴら風に炒めたりして使えるので捨てずに活用!

ドライ保存なら 1ヶ月長持ち

1 電子レンジで乾燥させる
パクチーを洗い、水気をしっかり拭き取る。葉だけを摘み、耐熱容器に広げてラップをせずに電子レンジ（200〜250W、もしくは解凍モード）で約2分加熱。一度取り出し、混ぜ返して広げ、再度2分ほど加熱する。これを5〜6回繰り返す。

2 瓶などで密封保存
葉の量が1/6〜1/8くらいになり、手で握るとパラパラと崩れる状態まで乾燥したら、冷ましてビンなどの密封できる保存容器に入れて保存。常温で約1ヶ月の保存が可能。湿気が多い時期は冷蔵庫での保存がおすすめ。そのまま料理にパラッとふりかけると◎。

すだち

カット冷凍なら すぐに搾って使える

洗ったすだちを横半分に切って冷凍すれば、さんまの塩焼きなどに添えていつでもキュッと搾ることができて便利。
冷凍の際は、切り口を下にして並べ、断面がラップにぴったりつくようにして包む。冷凍用保存袋に入れて冷凍。

これで
冷凍庫にイン！

 解凍

使う分だけ取り出し、常温で5分解凍する。そのまま搾り、料理の風味付けに使う。

大量＆長期保存なら丸ごと冷凍

下処理いらずがうれしい

すだちを洗い、ペーパータオルで水気をしっかり拭き取り、冷凍用保存袋に入れて冷凍する。大量に洗う場合はボウルを使うと便利。

 これで
冷凍庫にイン！

 解凍

凍ったまま皮をすりおろして、料理の風味付けに。カットして使う場合は、常温に10分ほど置いて解凍する。輪切りにしてすだちうどんやそばにするのもおすすめ。

1週間で使い切るなら、冷蔵保存もOK

ペーパータオルで包んで

すぐに使い切る場合は、冷蔵保存も可能。数個まとめてペーパータオルで包み、ポリ袋に入れて口を閉じ、冷蔵庫の野菜室へ。1週間程度保存可能。香りが飛んでしまうため、常温保存はNG。

かぼす

用途に合わせて冷凍 カットか丸ごとかチョイス

これで
冷凍庫にイン！

かぼすは常温で放置すると変色し、風味も損なわれがち。すぐに使わないなら冷凍保存を。焼き魚や天ぷら、鍋などに搾って使うなら、カットして冷凍を、凍ったまま皮をすりおろしたり、解凍して皮ごと料理に使うなら丸ごと冷凍を。それぞれの冷凍保存の手順は上記の「すだち」を参照して。

 解凍

カットした冷凍かぼすは使う分だけ取り出し、ラップで包んだまま、½カット2切れ分につき電子レンジ（500W）で40秒加熱し（※1切れ分なら30秒加熱）、解凍。常温で40分程度自然解凍しても。そのまま搾って焼き魚や鍋に、好みの大きさにカットして天ぷらや唐揚げに添えるとよい。

丸ごと冷凍のかぼすは、凍ったまま皮をすりおろして、料理の風味付けに。皮をすりおろしたかぼすは、ラップをせずに1個につき電子レンジ（500W）で1分30秒加熱し、解凍。常温で70分程度自然解凍しても◎。半分に切ってから果汁を搾って料理に使う。

セロリ

保存 1ヶ月

葉と茎を分けて
冷凍すると使いやすい

冷凍するとセロリ独特の香りが弱まるため、風味が苦手な人にもおすすめ。茎と葉を切り分け、茎は斜め切りに、葉は粗みじん切りにする。茎はラップで包んで小分けにして冷凍用保存袋に。葉はそのまま冷凍用保存袋に平らになるように入れる。どちらも、できるだけ空気を抜いて封をする。茎をラップで包むことで、切断面が空気に触れるのを防ぐためおいしさを長持ちさせられる。

これで冷凍庫にイン！

解凍

茎は凍ったままスープやカレー、ミートソースに入れて使うのがおすすめ。加熱することで甘みが出るため、料理にコクが出る。葉も凍ったまま使える。葉に豊富に含まれているβカロテンは油と一緒に摂取すると吸収率がアップ。ごま油で炒め、しょうゆ・みりん・いりごまを加えて「ふりかけ」に、またはサラダ油で炒めてしょうゆ・砂糖で「きんぴら風」にするとよい。

冷蔵保存も葉と茎を分けて保存

1 葉と茎を切り分ける
セロリの太い茎と細い茎を切り分ける。次に細い茎から葉を切り離す。葉と茎をそれぞれ水で濡らしたペーパータオルで包み、保存袋に入れる。

2 立てて野菜室へ
保存袋に入れた葉と茎は、プラスチックケースや上部を切った牛乳パックなどに立てて入れ、野菜室で保存する。葉は約4日、茎は約6日保存可能。

パセリ

保存 1ヶ月

冷蔵より冷凍！
葉と茎を分けて保存

パセリは日持ちがよく、少量ずつ使える「冷凍」が断然おすすめ。冷凍の際は、まずボウルに水をためながら、パセリの葉を流水で洗う。葉にほこりや汚れがたまりやすいため、水の中でふるようにして。水気を拭き取ったら、葉と茎に分け、さらに茎は5cmくらいの長さに切る。葉は小房のまま、茎はラップで包んでから冷凍用保存袋に入れて冷凍する。

これで冷凍庫にイン！

解凍

小房の冷凍パセリは、凍ったまま炒め物やスープなどの加熱調理に加えて。
茎はカレーやポトフなど、肉や魚の煮込み料理に加えると、肉や魚特有の臭みを和らげてくれるので、だしパック用の袋に入れて料理に加え、完成前に取り出す。

Idea
包丁いらずでパラパラのみじん切りに

冷凍用保存袋にパセリの葉を小房のまま入れ、空気を少し入れて冷凍。凍った状態で袋の上から手で揉むと葉が粉々になる。使うときはパセリを直接手で触ると解凍されるので、使う分だけスプーンで取り出し、残りはすぐに冷凍庫に戻す。

バナナ

漬したり 切ったりして 使いやすく冷凍

これで
冷凍庫にイン！

長持ちさせるなら 冷凍保存がベスト

バナナはそのまま凍らせると硬くて扱いにくいが、ペーストやみじん切りにするとそのままでも食べられ、使い勝手も格段にアップ。なめらかな食感がよければペースト、粒感が欲しいときは5mm角のみじん切りに。ペーストにするときは冷凍用保存袋に入れて手で潰すか、フォークの背で潰すと簡単。ペーストは薄く平らに伸ばし、みじん切りは小分けにしてラップに包む。冷凍用保存袋に入れて冷凍。

解凍 凍ったままヨーグルトやスムージーに加えたり、アイスクリームと一緒に食べるとよい。常温で数分置いて解凍し、卵焼きに加えても◎。ペーストなら牛乳に溶かしてバナナミルクにするのもおすすめ。一度凍らせると繊維が壊れてよりなめらかになるので、冷たいままトーストなどに塗ってジャムのようにも使える。常温解凍で放置すると劣化につながるため注意！

冷蔵保存ならポリ袋＋野菜室

保存期間は10〜15日程度

バナナを1本ずつポリ袋に入れ、ポリ袋をバナナに巻きつけて冷蔵庫の野菜室へ。これにより同じ房のバナナや他の野菜などから受けるエチレンガスの影響を遮断できる。5〜10℃の野菜室で保存するとバナナ自身から発生するエチレンガスも減り、追熟のスピードを遅らせることができる。

Recipe
丸ごと冷凍で焼きバナナに

① バナナは皮をむいて1本ずつラップで包む。冷凍用保存袋に入れ、空気を抜いて袋の口を閉じ、冷凍しておく。② 凍ったバナナのラップを外し、アルミホイルで包む。天板にのせ、オーブントースター（1000W）で7分ほど焼いて裏返し、さらに7分ほど焼くと焼きバナナの完成。

りんご

カットして冷凍で即、スイーツが完成

りんごをカットして冷凍すると、簡単にスイーツとして楽しめる。りんごをよく洗い、くし形切りにして芯を除き、3切れほどまとめてラップで包む。このとき、皮はお好みでむいてもOK。レモン汁を少量ふりかけると変色を防げる。冷凍用保存袋に入れ、金属製のバットにのせて冷凍庫に。

これで冷凍庫にイン！

Recipe／冷凍りんごでスイーツ作り

りんごシャーベット
冷凍庫から出して常温に1〜2分ほど置けば、半解凍のりんごシャーベットに。

焼きりんご風
電子レンジ（600W）で約3分間（りんご½個分の場合）加熱し、シナモンシュガーなどをかければ焼きりんご風のデザートに。

冷蔵庫で2ヶ月持たせるコツ

野菜室より冷蔵室 りんごは低温多湿を好むので冷蔵室向き。洗わずに1個ずつペーパータオルや新聞紙で包み、乾燥を防ぐ。ポリ袋に入れて口をしっかり縛ると「エチレンガス」が冷蔵庫内にもれず、他の野菜や果物の傷みを抑えられる。箱で大量にある場合など冷蔵庫に入らない場合は、廊下や玄関など温度の低い場所に箱のまま置く。常温の保存期間は1ヶ月程度。

梨

面倒なコンポートも冷凍すれば即完成

これで冷凍庫にイン！

梨は傷みやすくデリケートな果物。長期保存するなら冷凍がおすすめ。解凍すればすぐにスイーツが完成！　まず洗った梨を8等分のくし形切りにし、皮をむき、芯を取り除く。ラップに並べ、ぴったりと包み冷凍用保存袋に。金属製のバットにのせて冷凍庫で保存する。

Recipe／冷凍梨でスイーツ作り

梨シャーベット
冷凍庫から取り出して15分ほどで半解凍状態に。シャーベットのような食感を楽しめる。暑い時期は早く解凍されるため5分ごとに様子を確認。

梨のコンポート風
冷凍庫から取り出して30分ほどで、コンポートのようなトロッとした食感に。濃厚な甘みが味わえる。暑い時期はシャーベット同様、5分ずつ様子を見て解凍を。

冷蔵保存で2週間持たせるには？

常温保存は避けること 梨は洗わずにペーパータオルで包む。1枚で足りない場合は、2枚重ねて使うとよい。ペーパータオルの上からラップで包み、ポリ袋に入れて口を閉じる。軸を下にすることで梨の呼吸が抑えられ、鮮度の劣化がゆるやかになる。2〜3日に1回ポリ袋の中を確認し、ペーパータオルが湿っているようであれば新しいペーパータオルに取り替える。2週間保存可能。

お尻側
軸側

すだち
かぼす
セロリ
パセリ
バナナ
りんご
梨
みかん
オレンジ

みかん

保存
皮ごと **2**ヶ月
皮なし **1**ヶ月

懐かしの冷凍みかんを

自宅で再現できる

たくさん作るなら皮ごと冷凍

みかんを1個ずつラップで包むことで、酸化や乾燥を防ぎながら、手軽に冷凍みかんを作れる。まず軽く水洗いし、水気を拭き取ってみかんに霜が付くのを防ぐため、ラップの端をねじるようにしてぴったり包む。冷凍用保存袋に入れ、空気を抜いて袋の口を閉じ、冷凍する。冷凍庫で2ヶ月程度保存可能。

これで冷凍庫にイン！

解凍

常温に40分ほど置くと皮がむきやすくなり、半解凍状態で食べられる。急ぐ場合は、ラップを外して凍ったまま水道水に1分ほどつけ、表面だけ解凍して皮をむくとよい。常温や水温にも左右されるので、解凍時間は様子を見ながら調整。

常温保存でカビを防ぐコツは？

冬場は常温3週間
玄関や廊下など、温度の低い場所に置く。通気性のよいかごにペーパータオルを敷き、みかんを並べる。1段並べ終わったら再度ペーパータオルを敷き、みかんを重ね、上からペーパータオルをかぶせる。かごがなければ、ザルでもOK。ヘタを下にすると乾燥が防げる。また、みかんを重ねるのは2段まで。

冬以外は野菜室へ
みかんは、野菜室でも2週間保存可能。冬以外や上記のような保存場所がない場合に。ただし、野菜室内は乾燥しやすいので、みかんをペーパータオルで1個ずつ包み、数個まとめてポリ袋に入れる。ヘタを下にして野菜室で保存。

皮なし冷凍なら手軽に食べられる

ラップは忘れずに
皮なし冷凍なら、冷凍庫から取り出してすぐに食べたり、調理したりできるのでとても便利。皮をむいてからラップの端をねじるようにしてぴったり包み、冷凍用保存袋に。小房に分けず丸ごとで冷凍する方が、乾燥しにくく、風味も損なわれにくい。

これで冷凍庫にイン！

解凍

皮なし冷凍みかんなら凍ったまま房を分けられるので、食べる分だけ取り出して、残りは冷凍庫に戻しても◎。ヨーグルトにのせたり、アイスティーに入れて味わってもおいしい。

オレンジ

果肉の状態にして

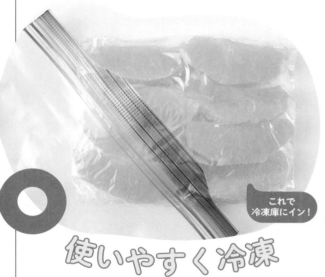

これで
冷凍庫にイン！

使いやすく冷凍

薄皮まで取ってから冷凍すると◎

オレンジを冷凍する場合は、皮をむいてから保存。解凍後も食感が変わらず、フレッシュなおいしさをキープできる。おすすめの切り方は下記の「カルチェ」。カット後は果肉をラップで重ならないように包み、冷凍用保存袋に入れる。薄皮はやや残るが、下記の「スマイルカット」でも冷凍可能。切り込みを入れる際にそのまま皮をむいてしまうといい。

解凍 冷蔵庫で自然解凍（100gにつき3時間ほどが目安）し、そのまま食べる。凍ったままヨーグルトや炭酸水、サワーなどに加えてもおいしい。

果肉を房から取る「カルチェ」

1 厚めに皮をむく

オレンジは皮をよく洗ってから水気を拭き取り、上下（ヘタとお尻の部分）を5mm〜1cm切り落とす。オレンジをまな板に立てて置き、包丁で皮をそぎ落とすように切っていく。手で持つと果汁が出やすいので、必ずまな板に置いて。白い部分が残らないよう、皮は厚めに切ってOK。

2 果肉を取り出す

オレンジを手で持ち、果肉に沿ってV字型に包丁を入れ、ひと房ずつ果肉を取り出す。残った薄皮にも果汁が残っているので、搾り出してジュースとして飲んだり、ドレッシングに入れたりするなど捨てずに活用して。

手軽な切り方「スマイルカット」

1 十字に切る

オレンジは皮をよく洗い水気を拭き取る。まず、ヘタを横にしてまな板に置き、半分に切る。次に、右写真のように断面を下にして、さらに縦半分に切る。

2 8等分カット&切り込みを

向きを変えずさらに斜めに包丁を入れ、放射状に8等分に切る。食べやすいよう、皮と果肉の間に包丁を入れ、半分程度切り込みを入れる。

レモン

丸ごと冷凍で 皮も果肉も

> これで 冷凍庫にイン!

香りも風味も そのまま閉じ込める

レモンは冷蔵庫保存だと香りが飛びやすく1週間ほどで傷んでしまうため、冷凍がおすすめ。レモンは手でよく洗い、水気を拭き取る。ラップでぴったりと包み、冷凍用保存袋に入れて、できるだけ空気を抜いて封をし、冷凍庫へ。皮ごと使うため、国産レモンやオーガニックレモンなど、「ノーワックス」の表示があるものを使用すること。

≫

解凍

凍ったまま、皮をおろし金ですりおろし、冷やしうどんや揚げ物、生ガキなどの薬味として使う。30分ほど常温に置けばカットできるので、果汁を搾ったり、果肉部分をジャムにしたりしても◎。解凍したレモンは、再冷凍NG。

使い尽くそう

トッピングに便利な 輪切り冷凍

> これで 冷凍庫にイン!

凍ったまま料理にオン

レモンを手でよく洗い、水気を拭き取る。輪切りにし、ラップに並べて包んだら、空気をしっかりと抜きながら冷凍用保存袋に入れて、冷凍庫へ。

≫

解凍

凍ったままトッピングや調理に使う。紅茶に入れてレモンティーにしたり、チキンと一緒に焼いてアクセントにしたりしても◎。凍ったまま、さつまいもと加熱調理する「さっぱり煮」もおすすめ。

果汁を搾りやすい くし形切り冷凍

少量ずつ使える◎

レモンを手でよく洗い、水気を拭き取る。くし形に切り、ラップに並べて包んだら、空気をしっかりと抜きながら冷凍用保存袋に入れて、冷凍庫へ。

≫

解凍

10〜15分常温で自然解凍すれば果汁を搾ることができる。揚げ物の付け合わせにしたり、サワーなどのドリンクに入れたりするとよい。

柿

冷凍→解凍すると
新感覚のスイーツに

柿を冷凍して解凍すると、シャリトロ新食感の絶品スイーツに。ラップで包んで冷凍用保存袋に入れて冷凍するだけ。

これで
冷凍庫にイン！

解凍

丸ごと冷凍した柿を10分程度自然解凍し、包丁が入るかたさになったらヘタを切り落とす。さらに、常温で50分程度放置しておくと「シャリとろ」食感に！スプーンですくっていただくのがおすすめ。常温や柿の大きさによって変わるため、解凍時間は目安。長時間解凍による劣化に注意。

冷蔵庫で
2週間持たせる方法

ヘタの乾燥を防ぐ

柿は常温保存で5日程度でやわらかくなる。シャキシャキ食感を保つなら冷蔵保存を。濡らしたペーパータオルをヘタにかぶせ、ラップでぴったり包み、ヘタを下にしてポリ袋に入れ、野菜室へ。

ポリ袋に入れて追熟

柿が硬いと感じたら「追熟」を。ヘタを上にしてポリ袋に入れて常温保存すると、柿自身によるエチレンガスで効率的に追熟が進む。

タネを避ける切り方

柿のヘタ側を上にして置き、包丁を葉の切れ目に当てて4等分に切る。この方法で切ると、タネに当たらずに切ることができる。その後包丁を使い、ヘタの方から皮をむく。

キウイ

完熟したキウイは
丸ごと冷凍でシャーベットに

冷凍すると
シャリシャリ食感に

これで
冷凍庫にイン！

完熟後すぐ食べないなら丸ごと冷凍を。キウイを洗って水気を拭き取ってから、1個ずつラップで包み、冷凍用保存袋に入れて、できるだけ空気を抜いて封をし、冷凍庫へ。

解凍

凍ったまま全体を水で濡らし、お尻からヘタに向けて手で皮をむく。ヘタを切り、縦8等分に切る。10分ほどでシャーベットのような食感に。甘みが足らない場合は、砂糖やはちみつを少量加えても◎。常温解凍で放置すると劣化につながるため注意。

グレープフルーツ

解凍後も食感変わらず！
ヨーグルトに入れてみて

皮をむいて冷凍すれば
解凍なしでも食べやすい

これで
冷凍庫にイン！

グレープフルーツは解凍後も食感が変わらず、おいしさをキープできる。皮をむいて切った果肉を重ならないようにラップで包み、冷凍用保存袋に入れる。空気を抜いて袋の口を閉じ、冷凍する。薄皮はなるべく残さない方が食べやすいので「カルチェ」で切るとよい（P59参照）。

解凍

冷蔵庫で自然解凍（1個分約110gにつき3〜4時間が目安）し、そのまま食べる。凍ったままヨーグルトやサワーに加えて食べてもおいしい。

レモン
柿
キウイ
グレープフルーツ
ぶどう
ブルーベリー
桃
プラム

ぶどう

保存 1ヶ月

大粒と小粒で冷凍方法を変えよう

ぶどうは常温では傷みやすいので冷凍も一案！デラウェアなど小粒のぶどうは、まず中心の軸の真上から流水を当て、全体を濡らすように洗う。実が房から外れてしまわないよう、実に直接水を当てないこと。水気をやさしく拭き取り、1房ずつラップで包み、保存袋に入れて冷凍する。巨峰などの大粒ぶどうは、まず枝を2〜3mm残してキッチンばさみで1粒ずつ切り離す。さっと洗い、水気を拭き取ってから保存袋に平らになるように入れて冷凍する。

これで冷凍庫にイン！

解凍 小粒ぶどうは皮ごと食べてもOK

凍ったまま皮ごと食べられる。皮をむいて食べたい場合は、粒を5秒くらい指でつまむと、指の温度で表面が溶けて皮がつるんとむける。

大粒ぶどうは流水で皮むき

お尻部分に流水を当て、爪で切れ目を入れると楽に皮がむける。常温に10分ほど置くと半解凍のシャーベット状に。

冷蔵保存の場合は洗わないで

小粒ぶどうは洗わず保存。房ごとペーパータオルで包み、必ず容器に入れて。大粒ぶどうも洗わず冷凍のときと同様に1粒ずつハサミで切って保存。これにより実の水分を枝に取られない。ペーパータオルを敷いた保存容器に1粒ずつ敷き詰め、ペーパータオルをかぶせてふたを閉めて冷蔵庫へ。どちらも1週間程度保存可能。

ブルーベリー

保存 6ヶ月

冷蔵では劣化が早いが冷凍なら半年おいしい

ブルーベリーは、生の状態では時間とともに風味が失われやすいが、冷凍すると6ヶ月も栄養とおいしさをキープできる。ポイントは傷んだ実を取り除くこと。ヘタに残った枝を取り、流水でやさしく水洗いして水気を拭き取る。小分けにして冷凍用保存袋に入れ、金属製のバットにのせて冷凍庫で急速冷凍。

これで冷凍庫にイン！

傷んだブルーベリーの見分け方

写真左のように全体にブルーム（表面の白い粉状のもの）があり、皮がピンと張ったものは冷凍可能。右のように、皮が破れているものや触ってブヨブヨとしたものは傷みが始まっているので取り除く。ブルームが取れたもの、果肉が茶色っぽいものも鮮度が落ちているので冷凍せず早めに食べ切る。

食べごろ　傷んでいる

野菜室で約1週間持たせるには？

乾燥を防ぐのがコツ

傷んだ実はあらかじめ取り除いておく。購入時のパックにペーパータオルを敷き、その上にブルーベリーをのせ、ペーパータオルで包む。ふたをして野菜室へ。冷蔵で約1週間保存可能。ふた付きの保存容器でもOK。

解凍 使いたい分だけ取り出し、アイスやヨーグルトのトッピングにしたりするのが◎。冷蔵庫で30分程度置くと完全に解凍できるが、食感がやわらかくなる。

桃

保存 1ヶ月

2〜3日で食べないなら丸ごと冷凍がおすすめ

桃は冷凍により食感は変わるものの、1ヶ月も長持ちさせられる。まず桃をやさしく洗い、ペーパータオルで水気を拭き取る。1個ずつラップで包み、冷凍用保存袋に入れて空気を抜くように口を閉じ、冷凍庫へ。ストローを使って空気を抜くと、ぴっちりと真空に近い状態になる。

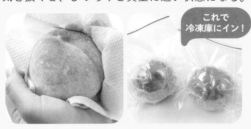

これで冷凍庫にイン！

解凍

凍ったまま、皮に薄く十字の切り込みを入れ、切り込みに流水を当てながら皮をむく。冷凍により実と皮の間に隙間ができるため、水に当てると皮が簡単にむける。15〜30分ほど常温に置き、食べやすい大きさに切る。暑い時期は5分ずつ様子を見て。15分で半解凍状態のシャリトロ食感に。さらに15分ほどで完全に解凍でき、とろりとした舌触りと濃厚な甘みを楽しめる。

常温保存で買ったままのおいしさキープ

桃は常温保存がベスト。1個ずつペーパータオルで包み、ポリ袋に入れて口を閉じる。桃の接地面が自重で傷まないよう、フルーツキャップをかける。フルーツキャップがない場合はペーパータオルを重ねて桃の下に敷く。エアコンなどの冷気に当たらない場所で保存し、食べる前に1〜2時間冷蔵庫で冷やすと甘みが増す。2〜3日程度保存可能。

プラム

保存 1ヶ月

丸ごと冷凍がよし！切ると変色しやすい

すぐに食べ切れない場合は、新鮮なうちに冷凍を。切って冷凍すると変色しやすいので、丸ごと冷凍がおすすめ。プラムはやさしく洗い、水気を拭き取る。1個ずつラップで包み、冷凍用保存袋に入れ、空気を抜いて袋の口を閉じ、冷凍する。

これで冷凍庫にイン！

解凍

使いたい分だけ取り出し、アイスやヨーグルトのトッピングにしたりするのが◎。冷蔵庫で30分程度置くと完全に解凍できるが、食感がやわらかくなる。

プラムの種の取り方

① 種の取り方はアボカドと同じ。プラムの凹んだ部分に包丁を入れ、種に沿ってぐるりと切り込みを入れる。両手で持ち、種を中心に切れ目をひねって半割りに。

② 種が付いた方の実はさらに種に沿って半分のところに切り込みを入れ、種を中心に切れ目をひねって半分にする。種が付いた方の実から、種を包丁で取り除く。

レモン
柿
キウイ
グレープフルーツ
ぶどう
ブルーベリー
桃
プラム

いちご

砂糖をまぶしてから冷凍するのがベスト

いちごを10日間以上保存したい場合は、冷凍保存がおすすめ。いちごの水分を保つために砂糖をまぶすのがポイント。冷凍保存の際は、まず洗ってヘタを切り落とし、水気をしっかりと拭き取る。いちご全体に砂糖を丁寧にまぶしてから2〜3個ずつラップで包んで冷凍用保存袋に入れ、できるだけ空気を抜き、冷凍庫へ。

これで冷凍庫にイン！

解凍

5分ほど自然解凍するとシャーベットのようになり、ひんやりとおいしいスイーツに変身！ また、凍ったまま鍋に入れて砂糖とともに加熱すれば、短時間でいちごジャムが作れる。

10日間も長持ちする冷蔵保存法

アルミホイルを活用して

アルミホイルに包むのが保存のコツ。庫内でのいちごの光合成が妨げられ、細菌やカビの増殖を抑えられる。冷蔵の際は、黒ずんだもの、やわらかくなったいちごは取り除く。アルミホイルを敷き、ヘタを下にしていちごを並べ、いちご同士が触れないよう、写真のようにアルミホイルの仕切りを入れる。さらにアルミホイルでいちごをまとめて包み、冷蔵庫へ。傷みの原因となるため、いちごは洗わない。

さくらんぼ

3日以内に食べないなら冷凍でシャーベット風に

表面が傷つかないよう、ボウルに張った水にそっとさらすようにして汚れを軽く流し、ペーパータオルで丁寧に水気を拭き取る。冷凍用保存袋に入れ、空気を抜いて密封し冷凍庫で保存する。

これで冷凍庫にイン！

解凍

約3分間常温に置いて解凍すると、シャーベットのような食感でおいしくいただける。それ以上解凍すると食感が悪くなってしまうのでNG。

冷凍しないなら常温で

3日間保存できる

保存容器にペーパータオルを敷き詰め、さくらんぼを洗わずそのまま並べる。みっちり詰め込むと傷みやすいので、余裕のある大きさの保存容器を選ぶとよい。ペーパータオルで包み、ふたをしてエアコンの風が直接当たらない場所に置く。

冷蔵状態で購入したなら

さくらんぼは、店頭では常温で販売されていることがほとんどだが、通販や産地直送で購入するとクール便で届くことがある。その場合は常温保存と同じようにペーパータオルで保護して、すぐに野菜室へ入れて。常温と同じく約3日間保存できる。

いちじく

いちじくは冷凍→解凍で
コンポート風スイーツに

傷みやすいいちじくは冷凍保存が最適。生のときと食感は変わるが、コンポートのようなやわらかい食感を楽しめる。冷凍の際は、まずいちじくを洗い、ペーパータオルで水気を拭き取る。1個ずつラップで包んで冷凍用保存袋に入れて口を閉じ、金属製バットの上に置いて冷凍庫へ。

これで
冷凍庫にイン！

冷蔵庫で保存するなら？

2〜3日で食べ切ること

いちじくをペーパータオルで1個ずつ包む。2〜3個まとめてポリ袋に入れて口を閉じ、冷蔵庫で保存する。

解凍

凍ったいちじくのお尻に浅く十字の切れ目を入れる。切れ目に5秒ほど流水を当て、切れ目を手でこすると、皮がするっとむける。5分ほど常温に置き、食べやすく切る。外側が少し溶けた半解凍状態が切りやすい。

半解凍で食べるとシャリシャリのシャーベットのような食感が楽しめる。さらに5分ほど置いて完全に解凍すれば、トロッとやわらかいコンポートのような食感になる。

びわ

皮のまま丸ごと
冷凍で約1ヶ月保存できる

保存が難しいびわも、冷凍なら風味が落ちるのを防ぎながら長持ちさせられる。びわを1個ずつペーパータオルで包み、重ならないように冷凍用保存容器に並べ、ふたをして冷凍庫へ。びわは立てるようにして入れてもOK。立てると小さめの容器を使えるので、冷凍庫内のスペースの無駄を省ける。

これで
冷凍庫にイン！

冷凍しないなら常温保存

冷蔵保存は、味と香りが損なわれやすく不向き。びわを1個ずつペーパータオルで包み、重ならないように箱に並べる。ふたはしてもしなくてもよい。直射日光と冷暖房の風が当たらない室内で保存する。保存期間は約3日間。

解凍

カット冷凍は
シャーベット風に

容器から取り出し、ペーパータオルに包んだまま常温で自然解凍。15分ほどで半解凍、30分ほどで全解凍できる。半解凍ならシャーベットのように楽しめる。全解凍なら濃厚でジャムのような食感に。

潰して冷凍ならジェラート風に

ボウルに水を張り、冷凍したびわをさっとくぐらせる。水で軽く湿らせることで、どこからむきはじめても皮がつるんとむける。生の状態に比べると圧倒的にむきやすい。

スイカ

食べ切れないなら冷凍!

生とは違う食感が◎

ひと口大にカットしてラップで包む

これで冷凍庫にイン!

スイカをひと口大にカットし、できれば断面に見える種を菜箸などで取り除き、皮を包丁で切り取る。さらに食べやすい大きさにカットし、数切れまとめてラップで包む。包むときは、乾燥を防ぐためスイカ同士をくっつけてぴったりと包んで。冷凍用保存袋に入れ、口を閉じて冷凍する。

種を取りやすい切り方

スイカは縞に対して垂直に2等分に切り、切断面を上に向けて種が見える位置を目安に包丁を入れて切る。種の多くは縦に並んで入っているので、断面を見て種が見えているところでカットすると、種が取りやすくなる。

種を菜箸や包丁の先を使って取り除く。カットした断面(縞)に種が集まっているので、見える部分だけ取ればOK。

解凍

食べる分だけラップから取り出す。くっついているが、手で簡単に折れる。約10分常温に置き、そのままいただく。それ以上解凍すると水っぽくなるので気をつけて。常温解凍の場合は、放置すると劣化につながるため注意する。

Recipe

冷凍スイカのアイデアスイーツ

シュワシュワフルーツポンチ

器に凍ったままのスイカ、カットした生のキウイとバナナを入れ、冷たい炭酸水を注ぐ。あればミントの葉を飾る。スイカの甘みが炭酸水に溶け出して炭酸水自体もほのかに甘くなる。すっきりさわやかな味わい!

はちみつスイカスムージー

冷凍スイカを常温に3分ほど置いてからミキサーに入れ、はちみつ・水大さじ2を加えて攪拌し、グラスに入れる。なめらかな口当たりで極上スイーツの味わい。ミキサーがない場合、おろし器ですりおろしてからはちみつを混ぜても。

メロン

完熟後に食べ切れない ならば冷凍しておく

完熟したメロンを2〜3日で食べ切れないときは、冷凍保存するとよい。カットして冷凍するとそのままシャーベット風に、潰して冷凍すれば材料を足してジェラート風に食べられる。カットする場合は、食べやすく切り、断面を密着させてラップで包んで冷凍用保存袋に。潰す場合は、完熟したメロン¼個分の実をスプーンですくい取り、冷凍用保存袋に入れて袋の上から揉み、潰して平らにして冷凍する。

これで冷凍庫にイン！

解凍

カット冷凍は シャーベット風に

冷凍庫から出して、ラップを外し、10分くらい常温に置いてそのままいただく。

潰して冷凍なら ジェラート風に

冷凍庫から出して10分くらい常温に置き、生クリーム大さじ2を加えて、袋の上から揉んで混ぜるとジェラート風に。牛乳を加えて揉むとミルキーなジュースに。冷たいと甘さを感じにくいので、好みで砂糖やはちみつを加えても。

※常温解凍で放置すると劣化につながるため注意

完熟してる？ 食べ頃を見極めるポイント

1　メロンのつるの先が枯れているかどうか。つけ根は青く、先の方が枯れてきた頃が食べごろ。

2　メロンの底がやわらかいかどうか。親指を押し込んで、少し凹むくらいやわらかくなっていたら食べごろ。

マンゴー

切断面を密着させ 冷凍するのがポイント

マンゴーを長期保存するなら冷凍が◎。食べやすい大きさにカットしてラップで包み、冷凍用保存袋に入れて金属製のバットにのせ急速冷凍する。ラップに包む際はマンゴーの切断面同士をぴったりと密着させ、空気に触れる面をできるだけ少なくするのがポイント。

これで冷凍庫にイン！

解凍

冷蔵庫で1時間半程度置くと半解凍に。シャリシャリとしたシャーベット食感で、おいしい。完全に解凍すると果肉の食感が悪くなるので、その場合は、ミキサーにかけてマンゴージュースにしたり、バニラアイスと合わせてマンゴーシェイクにしたりするのが◎。

冷凍しない場合の保存方法

完熟前　ペーパータオル（あれば新聞紙）に包んだ上からフルーツキャップ（購入時についているもの）をかける。ポリ袋に入れて直射日光や冷暖房の風を避けて常温保存。収穫日から約1週間で完熟する。

完熟後　乾いたペーパータオルで包んでから、濡らした手で全体に水をつける。フルーツキャップや緩衝材などで包み、ポリ袋に入れる。袋の口を軽く縛り野菜室へ。冷蔵で約5日間保存可能。

気づけばパンパン！冷凍庫収納、これが正解

上段

引き出しが浅いので「平置き」「縦置き」を使い分ける

上段は引き出しが浅いので、基本的には平置きがよい。ふたが半透明の冷凍用保存容器を使うと探しやすい。冷凍ごはんや肉類の大きさをそろえて包むと、効率よくスペースを使える。高さをそろえて冷凍し、立てて見やすく収納しよう。

下段

深さがあるので大きい食材を「縦置き」する

下段は深さがあるので、小さい食材よりも大きい食材を入れるのがおすすめ。食材を重ねて入れると探しにくく、下に入れたものを忘れてしまいがち。基本的には食材は立てて、縦置きにすることを意識しよう。

小さな食材はプラスチックケースに

しょうがのかけらや半端に残ったベーコンなどの使いかけの食材や、小さくて他のものに紛れやすいものは、手前の見えやすい場所を定位置にして収納すると使い忘れ防止に。長方形のプラスチックケースを利用すると便利。

上段・下段の使い分け編

奥と手前でゾーン分けすると◎

引き出しの手前に市販の冷凍食品、奥にはホームフリージング食材、サイドにアイスクリームなど、ざっくりとゾーニング。引き出しを開けた瞬間、どこに何があるのか一目瞭然！

ホームフリージング
冷凍食品
アイスクリーム

まず上段で平らに凍らせる

冷凍用保存袋に入れただけでは立ちにくい食材は、金属製のバットの上に平らに置き、上段のスペースで凍らせてから、下段に立てて収納する。平らに凍らせると解凍しやすく一石二鳥。

新しいものは奥から入れる

ただ漠然と冷凍庫に入れていくと、どの食材が古いものかわからなくなる。新しいものは奥に入れるルールにすることで自然と手前に古い食材が並び、使い切りやすくなる。

肉の冷凍保存

冷凍焼けを防いで
おいしさキープ！

鶏むね肉

「プラス調味料」冷凍で ◯

長持ちもおいしさも叶えね

購入後すぐに冷凍して！

傷みやすい鶏むね肉は、購入後すぐに冷凍するのがベスト。おすすめは鶏むね肉に砂糖・塩・こしょう・酒を合わせて冷凍する方法。保存性を高めながら肉質をやわらかくし、下味も兼ねられて「一石三鳥」！ 特に保湿性を高める砂糖は忘れないで。解凍後はさまざまな料理に使えるので、用途が決まっていない場合もぜひこちらの方法で。

「プラス調味料」冷凍の方法

1 水気を取り臭みを抑える

まず鶏むね肉の表面の水分をペーパータオルでしっかりと拭き取ることが臭みを抑える大事な工程。その後、鶏むね肉1枚に対して砂糖小さじ1/2、塩小さじ1/4、こしょう少々を表面にふる。

2 調味料をなじませる

冷凍用保存袋に入れ、鶏むね肉1枚に対して酒小さじ2を加え、袋の外側から手で軽く揉んで全体をなじませる。もしあれば、少量のまいたけのみじん切りを保存袋に入れると、たんぱく質分解酵素の働きでさらにやわらかくなる。その後、袋の口を閉じ、金属製のバットにのせて急速冷凍。

これで冷凍庫にイン！

解凍

グリルやソテーなどで食べる場合は冷蔵庫で約7〜8時間解凍するか、電子レンジの解凍モード、または保存袋の上から流水を当てて解凍し（保存袋を大きめのビニール袋に入れた状態で行うとベター）、必ず加熱調理する。また、保存袋から取り出し、凍ったままの鶏むね肉を沸騰した湯に加えて約20分ゆで、そのまま食べてもおいしい。

「下ゆで冷凍」なら解凍してすぐ食卓に

丸ごと冷凍

1 弱火で12分ゆでる

鶏むね肉（1枚300〜330g）あたりの材料は、水400ml、酒大さじ1、長ねぎ（青い部分）15cm、しょうがの薄切り3枚、顆粒鶏がらスープの素小さじ1/2。すべて鍋に入れて強火にかけ、沸騰したら弱火で約12分ゆでる。アクが浮いてきたら丁寧に取る。水からゆでると、ゆで汁にも鶏のだしがよく出る。

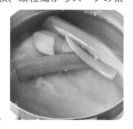

2 粗熱をとり冷凍する

火を止め鍋に入れたまま約2時間室温に置いて粗熱をとる。冷めたら鶏むね肉を取り出して冷凍用保存袋に入れ、こしたゆで汁（約300ml）を袋に加える。できるだけ空気を抜いて袋の口を閉じ、金属製のバットにのせて冷凍庫へ。

これで冷凍庫にイン！

Idea
肉をほぐして保存すると使いやすい

粗熱がとれた肉は手で細かく裂き、皮は包丁で細切りに。4等分程度（約55〜60g）の小分けにしてラップに包み、冷凍用保存袋に入れて冷凍庫へ。ゆで汁も冷凍用保存容器に入れて冷凍。

解凍

丸ごと冷凍なら

冷蔵庫で半日程度置いて解凍。または冷凍用保存袋ごと耐熱ボウルにのせ電子レンジ（500W）で加熱して解凍。1〜2分おきに様子を見ながら、ゆで汁が溶けて肉が取り出せるくらいまで解凍。スライスして汁物の具や、わさびじょうゆなどを合わせてそのままおかずにしても。ゆで汁は雑炊やスープなどにおすすめ。

ほぐして冷凍なら

冷蔵庫に3時間程度置き自然解凍、または電子レンジ（500W）で約30秒（55〜60gの場合）加熱。ゆで汁は電子レンジ（500W）で約4分程度（300mlの場合）加熱すると氷が少し残る程度に解凍できる。肉は解凍後そのまま冷麺や冷やし中華の具に。ゆで汁はスープにする。

鶏ささみ

レンチン→冷凍で

驚くほどしっとり！

これで
冷凍庫にイン！

パサパサのささみとは
もう、さようなら

ささみを冷凍する際は、加熱してからが◎。
電子レンジでできるのでとても簡単。下味で
砂糖をふって、余熱で火を通せばパサつかず、
びっくりするほどしっとりした仕上がりに！
まとめて下処理して冷凍ストックしておこう。

レンジ加熱の後に冷凍

1 調味料を加えて加熱

ささみは水気を拭き取り、耐熱皿に並べる。4本（約240g）につき、塩・こしょう各少々、砂糖小さじ½、酒小さじ2をふり、手でなじませる。その後ふんわりとラップをして、4本（約240g）につき電子レンジ（600W）で2分30秒加熱。

2 粗熱をとり手で裂く

加熱後、庫内にそのまま5分ほど置き、余熱で火を通す。取り出してそのまま冷まし、粗熱がとれたら、食べやすい大きさに手で裂く。
筋がある場合は、取り除く。中がうすいピンク色だった場合、10秒ずつ様子を見ながら再加熱。1回分ずつ小分けにしてラップで包み、冷凍用保存袋に入れて冷凍する。

生のまま冷凍なら
いろいろな料理に

これで
冷凍庫にイン！

1本ずつラップして

ささみは筋を取り、臭みの原因となる水分をしっかり拭き取る。1本ずつラップでぴったりと包み、冷凍用保存袋に入れて冷凍する。面倒でも1本ずつラップで包むこと。肉同士がくっつかず、乾燥を防ぐこともできる。

$\vee$

解凍 ドリップ（水分）が少なく、切りやすい半解凍状態にして調理する。電子レンジ（600W）で1本（約60g）につき20〜30秒加熱して半解凍。または冷蔵庫で1本分（約60g）につき4時間ほど自然解凍（半解凍の状態）し、水気を拭き取ってから料理に使う。

$\vee$

解凍 トッピングにも便利

凍ったままスープや炒め物に加える。または電子レンジ（600W）で1本分（約50g、加熱状態での重量）につき40秒加熱して解凍し、そのままサラダや冷やし中華のトッピングなどに使う。解凍は冷蔵庫で自然解凍（50gで約6時間）も可能。

手羽元

肉に切り込みを入れて

これで冷凍庫にイン!

解凍時間を短く!

切り込みを入れると食べやすいメリットも

手羽元はそのままでも冷凍できるが、切り込みを入れ、肉を開いてから冷凍すると、解凍時間が短くなる。下味冷凍する際も切り込みから味が染み込みやすくなって◎。下記を参考に下処理した後、開いた手羽元の切り口を閉じ、重ならないように3本ずつラップで包んで、冷凍用保存袋に入れ、できるだけ空気を抜いて口を閉じる。金属製のバットにのせ、冷凍庫で急速冷凍。

手羽元の開き方

手羽元の骨が見える面を上にして置き、骨の真上に包丁で切り込みを1本入れ、肉を左右に開く。骨と肉がくっついているところは、骨と肉の間に包丁を入れて骨から肉をはがしながら開く。

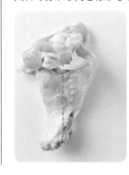

Recipe／ガーリックしょうゆ味で下味冷凍

下味冷凍
①しょうゆ大さじ1、酒大さじ3、みりん大さじ2、にんにく(すりおろし)2片分を合わせておく(A)。
②切り込みを入れた手羽元6本に塩・こしょう各少々をまぶして冷凍用保存袋に入れ、Aを加えて袋の上から揉み込んで口を閉じ、金属製のバットの上にのせて急速冷凍。冷凍庫で4週間保存可能。

解凍／調理方法
①保存袋の口を閉じたまま電子レンジ(500W)で1分30秒加熱し、半解凍状態に。手羽元は袋から取り出し汁気を切って、ペーパータオルで拭く(漬け汁は残しておく)。②フライパンにバター小さじ1を熱して、半解凍した手羽元を並べ入れ、中火で全体に焼き色がつくまで焼き、ふたをして蒸し焼きにして中まで火を通す。③冷凍用保存袋に残っている漬け汁を加えて煮詰めながら手羽元に絡め、仕上げにバター小さじ1を加えて全体に絡める。

解凍 半解凍で使うのがコツ

電子レンジ(500W)で1分加熱し、半解凍状態にしてから、焼く・煮る・揚げるなどの加熱調理をする。完全に解凍してしまうと肉からドリップが出てしまうので、必ず半解凍状態で使う。

豚肉

※牛肉も同様のポイントで冷凍できる

種類によってベストな

冷凍法をチョイス

正しい冷凍法で おいしさ長持ち

毎日の食卓で大活躍する豚肉は厚切り肉やかたまり肉、こま切れ肉など種類によって最適な冷凍方法をチョイスすると◎。ここではおいしさをキープして、しかも長持ちする方法をそれぞれご紹介。

**全種類共通！
まずは3つのポイントを押さえて**
①買ってきてすぐに冷凍すること。
②パックから取り出してから冷凍すること。
③急速冷凍すること。

厚切り肉の冷凍
1枚ずつラップで包んで、乾燥を防いで

厚切り肉は、1枚ずつラップでぴったり包む。これを冷凍用保存袋に入れ、空気を抜いて袋の口を閉じる。アルミやステンレスのトレイやバットの上に置き、冷凍庫で急速冷凍する。

これで
冷凍庫にイン！

≫

解凍 半解凍のまま調理する

電子レンジ（200W）で1枚（約100g）につき1分加熱し、半解凍してから、揚げたり焼いたりする。または冷蔵庫で1枚（約100g）につき1〜2時間ほど自然解凍（半解凍の状態）して調理する。半解凍状態で調理するとドリップが出にくい。

かたまり肉の冷凍

用途に合わせてカット方法を変える

かたまりのまま焼く・ゆでる場合
かたまりのままラップでぴったり包む。
角煮やシチューの場合
食べやすい大きさにカットし、1個ずつ（または1回に使う量ずつ）小分けにラップで包む。
それぞれ冷凍用保存袋に入れ、空気を抜いて袋の口を閉じ、アルミやステンレスのトレイやバットの上に置き、冷凍庫で急速冷凍する。

用途別の解凍方法

ゆでたり、煮込んだりする場合は、かたまりのまま冷凍した肉を電子レンジ（200W）で500gにつき8分加熱し、半解凍状態にしてから使う。焼く場合は、冷蔵庫で自然解凍（500gにつき約9時間）し、ペーパータオルで水気を拭き取ってから調理する。カレー、シチュー、角煮用などにカットした肉は凍ったまま炒めたり、ゆでたりして調理する。

こま切れ・薄切り肉の冷凍

小分けにすれば、凍ったまま調理可能

使用頻度の高いこま切れ肉や薄切り肉は、1人分ずつ小分けして冷凍が◎。ラップの上に肉を使いやすい量（1人分で約80gが目安）ずつ薄く広げ、包む。薄切り肉は食べやすい大きさにカットしてからラップで包むとよい。またはトングや菜箸などで1枚ずつ広げてラップを間に挟み、重ねてから冷凍するとはがしやすい。ラップした肉は冷凍用保存袋に入れ、空気を抜いて袋の口を閉じる。アルミやステンレスのトレイやバットの上に置き、冷凍庫で急速冷凍。

凍ったままでも調理OK

凍ったまま炒め物や煮物に加えて、調理する。または電子レンジ（200W）で80gにつき1分加熱し、半解凍状態にしてから使う。冷蔵庫で自然解凍（80gにつき約4時間）し、ペーパータオルで水気を拭き取ってから料理に使ってもよい。

Recipe ／ 下味冷凍で「豚こま切れ肉の味噌マヨ漬け」

下味を付けてから冷凍すると、味が染み込んでおいしくなる。忙しいときに大助かり！

下味冷凍

① 豚こま切れ160gは、大きいものがあれば食べやすい大きさに切り、塩・こしょう各少々をふる。② ボウルに味噌・マヨネーズ各小さじ2、おろししょうが1片分を入れて混ぜ、①を加えて混ぜる。③ ②を半分に分けてそれぞれラップの上に広げ、平らになるように包む。冷凍用保存袋に入れ、空気を抜いて袋の口を閉じ、冷凍する。3〜4週間程度保存可能。

解凍／調理方法

① フライパンに凍ったままの豚肉全量、酒大さじ1を入れ、ふたをして中火で蒸し焼きに。マヨネーズに油分が入っているためフライパンに油はひかなくてよい。② 肉が解けてきたら菜箸でほぐし、好みで野菜（きのこやキャベツなど）適量を加え、火が通るまで炒める。③ 器に盛り、好みでパセリのみじん切り適量を散らす。

鶏むね肉
鶏ささみ
手羽先
豚肉
ひき肉
レバー
ベーコン・ウインナー・ソーセージ
ハム

ひき肉

傷みやすいので
早めに冷凍して ◎

生のまま冷凍するなら「すぐ!」が基本

ひき肉はすぐに酸化して変色しがちのため、買ってすぐに使わない分は冷凍しておくのが正解! 冷凍する際は、購入したパックのまま冷凍庫に入れるのは使い勝手や衛生の面でおすすめできない。なるべく空気に触れないようにするためにも、ラップでぴったり包んでから冷凍用保存袋へ。また、時間がたって茶色くなったひき肉は冷凍NG。なるべく早めに加熱調理を。

基本の小分け保存で2週間持つ

これで
冷凍庫にイン!

小分けにしてラップに包むと傷みにくく、ドリップも防げる。ひき肉は1回に使う量ずつ（約100gが目安）小分けにし、空気に触れないようぴったりとラップで包む。できるだけ平らにすると解凍しやすく、冷蔵庫の中でもかさばらない。包み終えたら冷凍用保存袋に入れ、できるだけ空気を抜いて口を閉じる。金属製のバットの上に置き、冷凍庫で急速冷凍。

>>

解凍　半解凍状態で調理する

電子レンジ（200Wもしくは解凍モード）で100gにつき1分加熱し、半解凍してから調理する。冷蔵庫で100gにつき3〜4時間、自然解凍（半解凍の状態）しても◎。半解凍状態で調理するとドリップが出にくくなる。

パラパラ冷凍なら必要な量だけ使える

まず肉を広げて30分冷凍

金属製のバットにラップを敷いて、ひき肉をパックに入っている状態のまま移す。菜箸やフォークでパラパラに広げ、上からラップをして冷凍庫に入れる。30分ほどたったら冷凍用保存袋に移し、空気を抜いて袋の口を閉じ、冷凍庫へ。2週間程度保存可能。

解凍 凍ったままチャーハンや煮物、スープなどに加えて調理する。少量ずつ使えるので、料理にちょい足ししたいときに重宝する。

加熱してから冷凍
お弁当やおかずに大活躍

そぼろにして冷凍すれば、3〜4週間保存可能。お弁当やトッピングに使うには、味付けをしっかりめにするのがポイント。凍ったままスープや炒め物に入れて加熱しても◎。

解凍 必ず加熱調理

ひき肉100gにつき電子レンジ（500W）で1分加熱して解凍。ごはんや冷や奴、サラダなどのトッピングに。

1 ひき肉を炒めてそぼろを作る

フライパンでひき肉と具材を炒める。パラパラになったら味付けし、水分が飛ぶまで炒める。バットに取り出して、そのまま冷ます。（肉の種類ごとのおすすめのレシピは以下を参照）

2 ラップで包み冷凍用保存袋へ

1回に使う量ずつ（約100gが目安）小分けにラップで包み、冷凍用保存袋に入れる。空気を抜いて袋の口を閉じ、冷凍する。

これで冷凍庫にイン！

Recipe ／ 冷凍保存に便利！ 肉の種類別そぼろレシピ

鶏 鶏ひき肉

和風味でお弁当や卵焼きの具に！

① フライパンにサラダ油大さじ1を入れて弱火で熱し、しょうが（みじん切り）2片分を炒める。香りが立ったら鶏ひき肉400gを加え、中火で炒める。② パラパラになったらしょうゆ・みりん各大さじ2+²/₃、砂糖大さじ1+¹/₃で味を調える。三色弁当のトッピングやおにぎりの具に。凍ったまま卵焼きの具にしてもよい。

豚 豚ひき肉

中華味でチャーハンや麻婆豆腐に！

① フライパンにごま油大さじ1を入れて中火で熱し、玉ねぎ（みじん切り）¹/₄個分、しょうが（みじん切り）1片分を炒める。② 玉ねぎがしんなりしたら、豚ひき肉400gを加えて炒める。パラパラになったら砂糖・味噌各大さじ2、豆板醤小さじ2で味を調える。ジャージャー麺のトッピングに。凍ったままチャーハンに加えてもよい。

牛・豚 合びき肉

ミートソースやコロッケに！シンプルな万能レシピ

① フライパンにオリーブオイル大さじ1を入れて中火で熱し、玉ねぎ（みじん切り）¹/₄個分、にんにく（みじん切り）2片分を炒める。② 玉ねぎがしんなりしたら合びき肉400gを加える。パラパラになったら塩小さじ²/₃、こしょう・ナツメグ各少々で味を調える。

レバー

しっかり下処理して

新鮮なうちに冷凍

レバーの冷凍 おいしさキープの 3つの鉄則

【1】買ったその日に冷凍する

レバーは日持ちが1〜2日と短いので、購入したらできる限り早く下処理と冷凍をするのが鉄則！

【2】水で洗って流水にさらし、血抜きする

レバーを切ったら水で洗い、流水にさらすことが大切。この下処理を行うことで臭みが和らぎ、血のかたまりも取り除くことができる。

【3】「薄く」して冷凍する

冷凍するときはラップの上に重ならないようにレバーを置き、薄い形状で保存するのが鉄則。これにより、冷凍・解凍時間が早くなる。凍ったまま調理にも使えて便利。

豚レバー　　鶏レバー（ハツ）　　牛レバー

牛・豚レバー

〈下処理〉そぎ切りにし、流水で血抜き

1 脂肪を取る

レバーは、かたまりの状態で表面の見えるところに脂肪があったら、包丁で切り落としておく。

豚レバー

2 そぎ切りにする

レバーを8mm〜1cmのそぎ切りにする。

豚レバー　　　　　　牛レバー

鶏レバー

〈下処理〉
レバー、ハツを切り分け、流水で血抜き

1 ハツとレバーを切り離す

ハツをめくり上げ、点線の部分に包丁を入れてハツとレバーを切り離す。

2 それぞれ切り分ける

ハツは中心に包丁を入れて縦半分に切る。レバーはかたまりが2つつながっている部分を切り離し、大きいかたまりはさらに縦半分に切る。どちらも縦半分に切ることで、中の血のかたまりが取りやすくなる。血のかたまりを包丁の先でかき出す。ハツの血のかたまりは奥の方まで詰まっているため、包丁の先でかき出すと取りやすい。

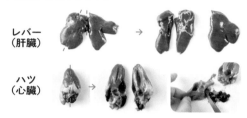

レバー（肝臓）　→

ハツ（心臓）　→

3 流水で血抜きする

ボウルに水をためてレバーとハツを入れ、手で揉みながら洗う。中に残っていた血が取れて水が濁ったら、水を捨てる。水が濁らなくなるまで流水にさらす。ザルにあげ、ペーパータオルで挟むようにしてしっかり水気を拭き取る。

鶏レバーの冷凍

ラップの上にハツとレバーを重ならないように薄く広げ、包む。1包みの量の目安は100g程度にすると食べ切りやすい。金属製のバットの上に置き、急速冷凍。凍ったら、冷凍用保存袋に入れて再び冷凍する。Mサイズの袋に100gの包みが2つ、重ならない状態で入る。

解凍　どのレバーもこの解凍方法で

煮物、揚げ物に使う場合は凍ったまま調理OK。煮物に入れる際は冷たい煮汁に凍ったレバーを入れて解凍しながら煮る。炒め物に使う場合は、凍ったままだと火が入りにくいため、下味を付けながら解凍するか、冷蔵庫で半解凍してから使う。冷蔵庫で自然解凍するなら100gにつき鶏レバーは約4時間、牛・豚レバーは約2～3時間で半解凍状態に。電子レンジで解凍すると火が通りすぎるのでNG。

3 しっかり洗う

ボウルに水をためてレバーを入れ、手で揉みながら洗う。中に残っていた血が取れ、水が濁ったら、水を捨てる。水が濁らなくなるまで流水にさらす。豚・牛のレバーは鶏に比べてレバー特有の風味が強いので、気になるときは水で洗った後に、牛乳に20～30分ひたす。その後、ザルにあげ、ペーパータオルで挟むようにしてしっかり水気を拭き取る。

牛・豚レバーの冷凍

ラップの上にレバーを重ならないように薄く広げ、包む。1包みあたり100g程度にすると食べ切りやすい。包んだら、金属製のバットの上に置き、冷凍庫で急速冷凍する。凍ったら、冷凍用保存袋に入れて再び冷凍する。

ベーコン

使いやすい 2つの冷凍方法を

これで冷凍庫にイン！

これで冷凍庫にイン！

マスター○

開封済みのベーコン、食べ切れないなら冷凍を

一度開封してしまったベーコンは賞味期限に関係なくなるべく早めに食べ切るのが基本。2〜3日以内が目安だが、冷凍なら1ヶ月程度保存可能。未開封ならパックのまま冷凍してもいいが、使うときにすべて使い切らなければならない。そのためパックから取り出して小分けに冷凍すると◎。ここでは便利な2つの冷凍方法をご紹介。

先にカットして「パラパラ冷凍」

1 先にカットして「パラパラ冷凍」

ベーコンを使いやすい大きさに切ってポリ袋に入れる。使いやすい、短冊切りがおすすめ。ポリ袋の口を広げ、キッチンバサミで直接切りながら入れると簡単。ポリ袋に空気を入れて袋の口を閉じ、上下に激しく数回ふってパラパラにする。

2 凍らせてから再度、上下にふる

空気を残した状態のまま、冷凍庫へ入れる。2〜3時間後のベーコンがほぼ凍ったタイミングで取り出して、再度上下にふってパラパラにする。冷凍用保存袋に移し、空気を抜いて袋の口を閉じ冷凍庫へ。

∨

解凍 凍ったまま炒め物やパスタ、スープなどに加えて調理する。少量ずつ使えるので、料理にちょい足ししたいとき、活躍する。

1枚ずつ並べ「小分け冷凍」

ベーコンの間にラップを挟むように折りたたむ

ラップを広げ、ベーコンを1枚ずつ間隔を開けて並べ、端からパタンと折りたたみ、ぴったり包む。ハーフベーコンはそのまま、普通サイズのベーコンは半分の長さに切ってから並べると使いやすい。ラップ1枚につき、3〜4枚を目安にのせると、一度に使用する分だけ取り出せるのでおすすめ。冷凍用保存袋に入れ、空気を抜いて袋の口を閉じ、冷凍する。

∨

解凍 凍ったままフライパンで焼くなどして加熱調理する。冷凍したベーコンはそのまま切ることも可能。または冷蔵庫で自然解凍（40gにつき3時間）してから巻き物などの料理に使っても。急ぐ場合は、電子レンジ（200W）で40gにつき1分40秒加熱して、解凍してから使う。

ウインナー
ソーセージ

未開封なら

袋ごと冷凍でよし

販売時の袋には すでに劣化を 防ぐ工夫が

ウインナーソーセージのパックや袋は、窒素を入れたり真空にしたりして、劣化を防止しているため、未開封で保存するなら、あえて開封する必要なし！ パックや袋のままの冷凍がおすすめ。

開封後はラップで包んで

加熱前の状態で冷凍

開封後は冷蔵保存で4〜5日ほどしか持たない。使い切れない場合は、すぐに冷凍保存を。1回で使う本数をまとめてラップでぴったり包み、冷凍用保存袋に入れて冷凍庫へ。小分けにしたウインナーは重ねず平らに入れ、保存袋の空気もしっかり抜いて。

これで 冷凍庫にイン！

解凍

ボイルなら凍ったまま熱湯に。加熱時間は袋に表記の時間プラス約1分が目安。焼く場合は事前に解凍が必要。電子レンジ加熱だと破裂する恐れがあるため、冷蔵庫で4時間ほど自然解凍して調理。急ぐ場合は凍ったままボイルした後に焼くとよい。

食べやすい大きさに切って冷凍も便利

斜め薄切りが便利

炒め物などに使いたい場合は、切ってから冷凍しておくとよい。1回で使う量を斜め薄切りにしてなるべく空気が入らないように、丸めるようにしてラップに包む。冷凍用保存袋に入れて空気を抜いて口を閉じ、冷凍庫へ。

これで 冷凍庫にイン！

解凍

煮込みすぎると旨みが抜けて食感も悪くなるため、スープなどの汁物に使う場合は最後に入れる。野菜などの具材が煮えたら凍ったまま投入し、弱火で約5分（4〜5本分の場合）加熱。

炒め物に使う場合は、油を熱して最初に凍ったままのウインナーやソーセージを入れる。他の具材より先に炒めることで香りが立ち、旨みや塩分を野菜にまとわせることができる。

ハム

アルミホイルで巻いて

急速冷凍が◯

ハムは断面積が広く劣化しやすい

ハムは短時間で冷凍するのが基本。ポイントは3つ。①ラップ&冷凍用保存袋の2重で乾燥を防ぐ。②アルミホイルで包んで急速冷凍する。③凍ったまま加熱するか、冷蔵庫で自然解凍する。これらをチェックして鮮度をキープ！

これで冷凍庫にイン！

ブロックハムの冷凍
カットして小分けする

これで冷凍庫にイン！

用途に合わせてカット。スープやチャーハンなどなら1〜2cm角のダイス切り、ハムステーキやハムカツなら1〜2cm厚さにスライス、ハムエッグやサラダなどなら薄くスライスして。ラップで小分けにして包み、アルミホイルで巻いて冷凍用保存袋へ。

ハム同士が重ならないように

ラップの上にハムを2〜3枚並べる。その際、必ずラップの外側にハム1枚分のスペースを空ける。外側に余裕を持たせたラップの端で1枚目のハムを包む。次に包んだハムごと折りたたみ、2枚目のハムをぴったり包む。その後、アルミホイルで包んで冷凍用保存袋に入れる。

解凍 ダイス切りや薄くスライスしたハムは凍ったまま焼いたり、ゆでたり、炒めたりして加熱調理。厚切りのハムは水分が出やすいので、アルミホイルを外してから冷蔵庫で自然解凍（75gにつき約5時間）し、水気を拭いてから加熱調理をすると◎。

解凍 凍ったままフライパンやトースターで焼くなどして調理。またはアルミホイルを外してから冷蔵庫で自然解凍（2枚、30gにつき約2時間）し、水気を拭いてからサラダなどに。生ハムの場合も凍ったまま使うか、自然解凍（3枚、20gにつき約30分）。

魚の冷凍保存

冷凍前の下処理も
ポイントです

さけ

生ざけは酒と塩で

臭みを抑えて

生ざけの切り身は購入後すぐに下処理

生ざけは早めに下処理することで冷凍後もドリップが出にくく、生臭さを抑えられる。バットにのせて酒と塩を全体にふり（1切れに対して酒小さじ1、塩ひとつまみが目安）、10分程度置くと、さけの身から水分が出る。表面に出てきた水分をしっかり拭き取り、1切れずつラップでぴったりと包み、冷凍用保存袋へ。金属製のバットにのせて急速冷凍。

これで
冷凍庫にイン！

解凍

冷蔵庫に約1時間30分置いて半解凍するか、電子レンジ（200W）で1切れ（90～100g）あたり約1分加熱して半解凍し、加熱調理。半解凍で加熱する場合は、生のときより火加減を弱くして加熱時間を長くする。

Recipe 生ざけの下味冷凍

マンネリになりがちなさけのレシピも下味冷凍でバリエーション豊かに！
必ず塩ざけではなく生ざけを使用して。

さけのムニエル

これで
冷凍庫にイン！

① 生ざけ2切れに酒小さじ2、塩2つまみをふって10分置き、水分をペーパータオルで拭き取る。② 塩・粗びき黒こしょう各少々を表面にふりかけ、1切れずつラップで包む。冷凍用保存袋に入れ、金属製のバットにのせて急速冷凍。3〜4週間保存可能。

解凍／調理方法

① 冷蔵庫に約1時間30分置いて半解凍するか、電子レンジ（200W）で1切れ（90〜100g）あたり約1分加熱し半解凍。
② 水分を拭き取り、さけ2切れの表面に小麦粉大さじ1をまぶす。
③ フライパンにバター大さじ1を熱し、さけの両面を中火でこんがりと焼く。仕上げにレモンやバター（1切れにつき大さじ1程度）を添える。

さけの照り焼き

これで
冷凍庫にイン！

① 生ざけ2切れに酒小さじ2、塩2つまみをふって10分置き、水分を拭き取る。② 冷凍用保存袋に①とめんつゆ（2倍濃縮）大さじ3を入れ、袋の空気をできるだけ抜く。金属製のバットに平らになるように袋をのせ、急速冷凍。3〜4週間保存可能。

解凍／調理方法

① 冷蔵庫に約1時間30分置いて半解凍するか、電子レンジ（200W）で1切れ（90〜100g）あたり約1分30秒加熱して半解凍にし、さけのみ取り出す。
② フライパンにごま油大さじ1を熱し、さけの両面を中火でこんがりと焼く。③ 袋に残った漬け汁に砂糖小さじ2を混ぜてさけに回しかけるようにしてフライパンに入れる。スプーンなどで漬け汁をさけの身に絡めながら加熱し照りを出す。

塩ざけの場合はどうする？

これで
冷凍庫にイン！

塩ざけは塩に漬け込んだ状態で販売されているので、生ざけのような下処理は不要。表面の水気をよく拭き取り、1切れずつラップでぴったりと包む。冷凍用保存袋に入れ、金属製のバットにのせて急速冷凍。

>>

解凍

冷凍庫から出したらそのままグリルやフライパンで焼く。弱火〜中火で片面約8分ずつじっくりと焼き、加熱ムラや焦げを防ぐ。

弁当のおかずに！焼きざけの冷凍方法

これで
冷凍庫にイン！

焼き立てのさけに少量の酒をふりかける（1切れに対して酒小さじ1/2程度が目安）。粗熱がとれたら1切れずつラップでぴったりと包み、冷凍用保存袋に入れる。弁当用にはあらかじめ食べやすい大きさにカットしたり、ほぐしたりして冷凍するとよい。金属製のバットにのせて急速冷凍。冷凍で約1ヶ月保存可能。

>>

解凍

ラップを外して耐熱皿にのせ、ふんわりとラップをかける。1切れ（約70g）につき、電子レンジ（500W）で約1分15秒加熱する。冷凍前にふりかけた酒の効果でふっくら仕上がる。

さば

臭みをオフして

おいしさ長持ち

塩をふって余分な水分を除く

さばの切り身は傷みやすいので、すぐに使わない場合はなるべく早めに冷凍を！ パックのまま冷凍すると酸化や乾燥の原因になるので、避けること。塩をふって余分な水分を除き、生臭さを和らげてから冷凍して。

臭みを抑える冷凍方法

1 塩をして水気を拭く

切り身をバットなどに並べ、両面に塩少々をふって冷蔵庫に入れ、10分ほど置く。表面の水分をペーパータオルでしっかり拭き取る。

2 ラップでぴったり包む

乾燥を防ぐためラップでひと切れずつぴったりと包む。冷凍用保存袋に入れ、金属製のバットの上に置き、冷凍庫で急速冷凍する。

塩さばはそのまま冷凍保存でOK!

パックから出しラップで包む

これで冷凍庫にイン！

塩さばは、すでに余分な水分が取り除かれているので、そのまま冷凍保存できる。ただし、パックのままだと乾燥や酸化しやすいので、必ず取り出してラップに包み、冷凍用保存袋に。解凍方法は生のさばと同じ。

解凍
凍ったままの生さばをフライパンで蒸し焼きにしたり、煮汁に入れて味噌煮にしたりして調理。竜田揚げや南蛮漬けなど切ってから調理するなら電子レンジ（200W）で2切れ（約270g）につき2分加熱し、半解凍にしてから切って調理。

冷凍生さばの焼き方

凍ったままの生さばに塩少々をふる。フライパンにサラダ油適量を入れ弱めの中火で熱し、さばの皮目を下にして焼く。6〜7分たって皮目に焼き色がついたら裏返してふたをし、弱火で10〜12分焼く。

ぶ り

生臭さを取り除く

これで冷凍庫にイン！

ひと手間がマスト

パックのまま冷凍するのはNG

ぶりの切り身はすぐに使わない場合は、なるべく早く冷凍を。パックのまま冷凍すると乾燥しやすく、衛生的にもNG。塩をふってから冷凍することで、生臭みを和らげて。

臭みを抑える冷凍方法

1 塩をふり臭みをとる
ぶりの切り身はパックから取り出して、バットなどに並べ、両面に塩少々をふる。冷蔵庫に入れて10分ほど置く。臭みの原因となる水分をペーパータオルでしっかり拭き取る。

2 ラップでぴったり包む
冷凍焼けの原因となる酸化と乾燥を防ぐため、なるべく空気に触れないようにラップでぴったりと包む。1切れずつ包むと魚同士がくっつかず、調理時に便利。

3 急速冷凍する
冷凍用保存袋に入れる。できるだけ空気を抜いて袋の口を閉じる。金属製のバットの上に置き、冷凍庫で急速冷凍する。

Recipe
下味冷凍で「ぶりの照り焼き」
臭みも出にくく、冷凍効果で
味がよく染み込むメリットも！

下味冷凍
① ぶりの切り身2切れの水分を拭き取る。② 冷凍用保存袋に、しょうが（薄切り）4枚、酒大さじ3、みりん大さじ2、しょうゆ大さじ1+½を合わせ、① を入れてよく絡める。③ 空気を抜いて袋の口を閉じ、金属製のバットの上に置いて冷凍。3〜4週間保存可能。

解凍／調理方法

① 冷蔵庫で2切れ（約200g）につき2時間30分、自然解凍（半解凍状態）する。または電子レンジ（200W）で2切れにつき2分加熱し、半解凍。
② フライパンにサラダ油小さじ2を入れて弱火で熱し、袋から取り出して表面のたれを拭き取ったぶりを焼く。焼き色がついたら裏返してさらに焼く。
③ 残しておいたたれに砂糖小さじ1を加え、フライパンに入れて煮絡める。

解凍

冷蔵庫で1切れ（約100g）につき2時間30分、自然解凍（半解凍状態）する。または電子レンジ（200W）で1切れにつき1分10秒程度加熱し、半解凍する。ペーパータオルで水気を拭き取り、酒少々をふってからすぐに生のぶりと同じように調理する。

しらす

そのまま冷凍すれば

ぐっと長持ち ◎

少量ずつトッピングに使える

冷蔵だと3日間程度と日持ちのしないしらすは、冷凍保存すると1ヶ月も長持ち！ しらすを冷凍ストックしておくと、冷や奴やサラダのトッピング、トーストやチャーハンの具として使えるなど、なにかと便利。少量ずつ使えるのもうれしい。

そのまま冷凍用保存袋に入れ、空気を抜いて袋の口を閉じ、冷凍する。しらすをなるべく薄く平らにするのがポイント。

これで冷凍庫にイン！

しらすの雑学
乾燥度合いで呼び名が違う！

「しらす」はいわしの稚魚の総称で、水分量によって呼び名が変わる。水分量が80%程度なら「釜揚げしらす」、70%程度が「しらす干し」、50%程度は「ちりめんじゃこ」。水分量が多いほど、冷蔵保存期間が短くなるが、冷凍方法、冷凍での保存期間、使い方などは同じ。

釜揚げしらす	しらす干し	ちりめんじゃこ

解凍 凍ったまま調理できて使い勝手抜群！

のせるだけ

凍ったまま冷や奴や納豆、サラダなどにのせるだけ。常温ですぐに解凍できるので、食べる頃には程よい食感に。しらすおろしも凍ったまま合わせればOK。

加熱調理も簡単

凍ったままパスタやチャーハン、卵焼き、トーストなどにたっぷり加えて、そのまま加熱調理。程よい塩気が味のアクセントになり、料理をおいしく仕上げる。

混ぜるだけ

混ぜごはんやおにぎりの具材として使いたいときは温かいごはんに凍ったまま加えて混ぜればOK。和え物の場合も、他の食材や調味料と混ぜている間に程よく解凍される。

ちょい足しでアレンジも

冷凍食品のちょい足しアレンジにも。例えば冷凍チャーハン300gにしらすを大さじ2、ごま油少々を加えて、電子レンジで加熱して混ぜれば、しらす入りチャーハンが完成。

えび

背ワタを取って

これで冷凍庫にイン！

殻付きのまま冷凍

ゆでえびなら サラダや サンドイッチに便利

背ワタを取り除いた殻付きえびを、塩と酒を入れた熱湯で約2分ゆで、粗熱をとってから殻と尾を取り除く。ゆでえびは重ならないように並べてラップで包み、冷凍用保存袋に。金属製のバットにのせて冷凍を。

これで冷凍庫にイン！

解凍

ラップで包んだまま耐熱皿に置いて電子レンジに。えび8尾に対して、電子レンジ（200W）で3〜4分加熱して半解凍。ラップを外して水気を拭き取れば、そのまま使える。

臭みをとる工程も忘れないで

生えびは背ワタだけ取って殻付きのまま冷凍すると◎。臭みをとる工程は必ず行う。背ワタを取った殻付きえびをボウルに入れ、8尾に対して、塩小さじ½、酒大さじ1をふりかけて、手でやさしく揉み込んでからザルに移し替え、流水で洗う。水気をしっかり拭き取ったエビは、重ならないようにラップで包んで冷凍用保存袋に。金属製のバットにのせて急速冷凍を。

殻も取って冷凍するなら

ボウルにむきえびを入れ、えび8尾に対して塩小さじ½、片栗粉大さじ1をふりかけ、手でやさしく揉み込むと臭みがとれる。ザルに移し替え、流水で塩と片栗粉を洗い流し、水気をしっかり拭き取る。ラップに包んで冷凍用保存袋に入れ、金属製のバットにのせて急速冷凍。

解凍 塩水解凍なら縮まずプリプリ！

海水と同じくらいの塩水（塩分濃度3％程度）で解凍すると、水分や旨みの流出を防ぐことができる。えび8尾の場合、水500㎖、塩大さじ1をボウルに入れ、塩を溶かしてから冷凍えびを入れる。殻付きは常温で10〜15分、むきえびは常温で8〜10分を目安に解凍。流水でさっと洗い、水気をしっかり切ってから調理。

たこ（ゆでだこ）

冷凍前にたたいて

やわらかさキープ

ひびが入るほど しっかりたたいて

ゆでだこは、冷凍前にたたいて筋繊維を崩してやわらかさを保つ。まずゆでだこは、食べやすいサイズに切る。足は1本＝80〜100g、頭は半分に切り分けて、½個＝約80g（下写真）。その後、解凍したときの臭みを抑えるため水分をしっかり拭き取る。まな板の上にゆでだこを置き、麺棒やすりこぎ、瓶などでたたく。たたく強さは、左写真のようにゆでだこの表面にひびが入るくらいが目安。

Recipe
冷凍ゆでだこで「たこのガーリック炒め」

たこは最後に加えて。
炒めすぎないことがジューシーに仕上げるコツ。

① 冷凍ゆでだこ足2本は、調理の2時間ほど前に冷凍庫から冷蔵庫に移して半解凍状態にし、約1cm厚さの斜め薄切りにする。② にんにく1片は薄切りに、ズッキーニ½本は約1cm厚さの輪切りに、ミニトマト8個はヘタを除く。③ フライパンにオリーブオイル大さじ2を入れて中火で熱し、にんにく、ズッキーニを入れて炒める。ズッキーニに火が通ったら、ミニトマトを入れてさっと炒め、① を入れて約1分炒め合わせた後、塩・こしょう少々で味を調える。

これで冷凍庫にイン！

たたいたゆでだこは、足1本、頭半分ずつラップで包み、冷凍用保存袋に入れる。空気を抜いて袋の口を閉じ、冷凍する。

解凍
食べる2時間ほど前に冷凍庫から冷蔵庫に移して半解凍状態にしてから、用途に合わせた大きさに切る。冷凍したゆでだこは、加熱調理して食べる。

牡蠣

プリプリ食感を保つ

冷凍&解凍テクニック

ぬめりや汚れを しっかり取って冷凍

冷凍する際はぬめりや汚れを取り除いてから冷凍しよう。下記の下処理法を参考にしっかり洗った後、身が崩れないようやさしく水気を拭き取り、金属製のバットの上に重ならないよう並べて1時間冷凍（ラップはなし）。表面を凍らせてから袋に入れると牡蠣同士がくっつかない。1時間後、冷凍用保存袋に牡蠣を入れ、保存袋の中の空気を押し出すように口を閉じる。

これで
冷凍庫にイン！

〈下処理法〉片栗粉&塩水で汚れを取る

ボウルに牡蠣を入れ、片栗粉（牡蠣1個に対して小さじ約1/2）をふりかけ、粉っぽさがなくなるまでやさしく混ぜる。別のボウルに水を入れ、水に対して3%の塩（水500mlあたり塩15gが目安）を加えてよく溶かす。塩水に牡蠣を移し、片栗粉を洗い落とす。

Recipe
白ワイン蒸し
牡蠣のエキスが染み込んだ玉ねぎもおいしい！

① 玉ねぎ1/2個を薄切りにし、オリーブオイル大さじ1を中火で熱したフライパンでさっと炒め、白ワイン100ml（酒で代用可）を加える。② 解凍済みの牡蠣8個（約170g）を玉ねぎの上にのせる。フライパンのふたをして中火で約5分蒸し焼きにし、塩少々で味を調える。器に盛りつけ、あればイタリアンパセリ少々を散らす。

解凍

塩水解凍なら縮まない！

牡蠣を使う分だけ取り出し、濃度3%の塩水（水500ml、塩15gが目安）にひたして30分〜1時間程度解凍。水分が流出せず、生のようなプリプリ食感が復活する。

牡蠣

あさり

殻付きあさりは 冷凍すると 旨みアップ！

砂抜きをして急速冷凍する

あさりは生のまま冷凍すると、調理時に旨み成分が出やすくなるメリットが！ 冷凍の際は、まずあさりの砂抜きを。水気をしっかり拭き取った後、冷凍用保存袋に重ならないよう平らに入れ、空気を抜いて（ストローを使って空気を吸うとよい）袋の口を閉じる。金属製のバットの上に置き、冷凍庫で急速冷凍を。

これで冷凍庫にイン！

あさりの砂抜き方法

1 洗って塩水につける

水を張ったボウルで、あさりをこすり合わせるようにして洗い、表面の汚れを落とす。バットなど（あれば網を重ねる）にあさりを重ならないよう入れ、海水と同じ3％濃度の食塩水（水200mℓに対し、塩小さじ1）をひたひたに注ぐ。

2 ふたをして暗くする

バットにふたやアルミホイルをかぶせて暗くし、常温なら2〜3時間（夏場など、常温が高い場合は冷蔵庫で4〜5時間）置く。砂抜きしたあさりはザルにあげて真水で軽く塩分を流す。

解凍 使いたい分だけ、凍ったまま料理に使える

自然解凍すると加熱しても殻が開かなくなってしまうので、必ず凍ったまま使って！ 一気に加熱するのがポイント。

凍ったまま 味噌汁やスープに

鍋に湯を沸かし、沸騰したところに冷凍あさりを入れて一気に火を通す。殻が開いたら、味噌などで調味する。

凍ったまま レンジで酒蒸しに

耐熱容器に冷凍あさりを並べ、酒をふりかけ、ふんわりとラップをする。あさり200gにつき電子レンジ（600W）で3分加熱。いったん取り出し、全体を混ぜ、ふんわりとラップをして電子レンジでさらに1分加熱し、殻が開いたら完成。殻が開かなければ追加で30秒ずつ様子を見つつ加熱を。

凍ったまま ボンゴレパスタに

フライパンにオリーブオイル、にんにく、赤唐辛子を入れ、弱火にかける。香りが立ってきたら冷凍あさりを加え、白ワインを回しかけてふたをしてさらに加熱。殻が開いたらゆでたパスタを加え、全体を絡めて完成。

はまぐり

手に入ったらすぐ。

これで
冷凍庫にイン！

砂抜きを完了させて

冷凍前にはまぐりの状態をチェック

はまぐりを保存するなら、旨みが凝縮される「生のまま冷凍」がおすすめ。砂抜きしてから水気を拭き取り、殻が重ならないように冷凍用保存袋に入れ、なるべくしっかりと空気を抜く（ストローを使って空気を吸うとよい）。金属製のバットにのせて急速冷凍（左写真）。また、砂抜きの際には下記を参考にはまぐりの状態を調べよう。死んだはまぐりは取り除いて。弱ったはまぐりも砂抜き中に死ぬ場合があるのでチェックを。

解凍 電子レンジ解凍や自然解凍をすると、水分と一緒に旨み成分が抜けてしまうため、凍ったままの状態で加熱調理するのがおすすめ。

冷凍前に！ 鮮度の調べ方

死なせないコツ
はまぐりが手に入ったら、可能な限り早く食塩水に入れて、2時間以内に砂抜きを完了させることが重要。砂抜きしてからすぐに食べないときは、冷蔵ではなく冷凍した方が味が落ちにくい。

砂抜き中につついてみる
砂抜き中に殻が少し開くので、細い箸などで身の部分をつつく。殻を閉じる、身を引っ込めるなど反応があれば生きている。何も反応がなければ死んでいる可能性が高い。また、生きているはまぐりは無臭。少しでも腐敗臭があると死んでいると考えられるので除く。

はまぐりの砂抜き方法

1 食塩水につける
海水と同じ濃度3％の食塩水（水500mℓの場合、塩大さじ1）を作り、バットなどに注ぐ。表面を軽くこすり洗いしたはまぐりを入れ、はまぐりの口が食塩水にしっかりつかっているか、水量を確認する。

2 暗い環境を作る
アルミホイルをかぶせて、そのまま冷蔵庫で1〜2時間ほど置く。砂抜き済みで売られているはまぐりも、十分ではない可能性があるので、購入後は必ず砂抜きを。

明太子

風味を守るコツは密封保存&急速冷凍

明太子は冷蔵では鮮度がどんどん落ち、風味や食感が損なわれる。食べ切れない場合は早めに冷凍を。1本を2〜3cm程度の使いやすい大きさに切り分け、1食分ずつラップで包む（皮のないバラ子も同様）。冷凍用保存袋の空気をできるだけ抜き、密封して風味を守る。金属製のバットにのせて急速冷凍し、食感やふっくら感をキープ。再冷凍は避ける。

これで冷凍庫にイン！

解凍

冷蔵庫でゆっくり自然解凍

ラップで包んだまま冷蔵庫でゆっくり解凍すると、明太子の粒感や風味が損なわれにくい。解凍時間は明太子約15g（上の写真・1本の約⅓の量）で15分程度。

こんなときは食べないで！

解凍後に乾燥している、糸を引いている、臭いがおかしい場合は傷んでいる可能性があるので食べない。

冷凍すると皮がむきやすい！

凍った状態の明太子に包丁で浅く切り込みを入れると、手で簡単に皮がむける。明太子パスタなど皮が気になる料理に使う場合は、解凍前に皮をむいておくと◎。

いくら

アルミカップと容器で粒々を守って冷凍

これで冷凍庫にイン！

いくらは小分けして冷凍すると便利。小分け用のアルミカップと冷凍可能なふた付きの保存容器を使って、ニオイ移りや粒が潰れてしまうのを防いで。保存容器にアルミカップを並べ、いくらを8分目まで入れる。ふたをして金属製のバットにのせ急速冷凍。

解凍

冷蔵庫でじっくり解凍

ニオイが移らないようラップをかけ、汁や水滴などがこぼれないようにバットか皿にのせる。冷蔵庫（あればチルド室）に入れ、約1時間（いくら約40gの場合）で解凍できる。1〜2日以内に食べ切ること。電子レンジ解凍や流水解凍はNG。

こんなときは食べないで！

解凍後に糸を引いている、異臭がする場合は傷んでいる可能性が高いので食べずに処分する。

日本酒をかけて解凍するとプリプリに！

日本酒（料理酒ではなく清酒）小さじ1を500Wの電子レンジで約30秒加熱してアルコールを飛ばす。冷めたら冷凍庫から取り出したいくらにふりかけ、ラップをして冷蔵庫に約1時間（いくら約40gの場合）置いて完全に解凍。

生わかめ

保存 3~4週間

湯通しして冷凍で風味&食感をキープ

3〜6月に市場に出回る生わかめは、さわやかな磯の香りと肉厚でみずみずしい食感を楽しめる食材。冷蔵での保存期間は3日ほど。冷凍しても風味や食感が変わらないため、鮮度が落ちる前に買ったら即、湯通し&冷凍保存がおすすめ。

解凍 加熱済みなのですぐに使える。凍ったまま鍋に入れて加熱し、味噌汁や煮物に。ボウルに水、冷凍生わかめを入れ、約5分置いて解凍し、水気を切って酢の物などに加えても。

生わかめの冷凍方法

1 茎からゆでる 茎の部分は火が通りにくいので、あらかじめ切り分けておく。鍋にたっぷりの水を入れて沸騰させたら、先に茎を入れて20秒ゆでる。

2 残りも手早くゆでる 20秒後に残りのわかめを入れ、さっと湯通し。緑色に変わったらすぐにザルにあげる。ゆですぎると色がくすむので、手早さが大事！

3 しっかり冷やす 流水で洗いながら冷やし、氷水を張ったボウルに移してさらに冷やす。これでぐっと歯ごたえアップ。2〜3日で使い切る場合は保存容器に入れて冷蔵庫へ。

4 小分けして冷凍する 食べやすいサイズに切る。茎は硬いので細く切ると食べやすい。小分けしてラップで包み、冷凍用保存袋に入れて冷凍。

めかぶ

保存 1ヶ月

食べ切れないならパックごと冷凍庫へ

めかぶは未開封なら、パックのまま冷凍が可能。購入してすぐに食べない場合は、なるべく早めに冷凍を。パックの中身が偏ると、解凍に時間がかかってしまうので、なるべく水平の保てる環境で保存すること。添付のたれも一緒に冷凍するといい。

これで冷凍庫にイン！

開封済みの刻みめかぶは?

袋入りや、大容量パックのめかぶを、開封後に使い切れない場合も冷凍保存して。冷凍用保存袋に入れて薄く平らにならし、空気を抜いて袋の口を閉じ、冷凍する。

解凍

未開封のパック入りめかぶ

冷蔵庫で1パック（35g）につき、3時間程度解凍。そのまま食べるか、納豆に加えるなどして。スープやお吸い物に入れるなど、加熱調理の場合は、凍ったまま加えても◎。

開封済みの刻みめかぶ

使う分だけ折って取り出す。凍ったままそばや味噌汁に加えたりして加熱調理。もしくは凍ったままのめかぶを皿に移し、冷蔵庫で100gにつき2時間程度解凍し、和え物などに使っても。納豆に入れるなど少量の場合は、凍ったまま加え、常温に3分程度置く。

ひじき

まとめて戻して冷凍すると便利

戻すのに手間がかかるひじきは、まとめて戻して冷凍すると便利。水に戻して水気をよく切ったひじきは冷凍用保存袋に入れ、全体の厚みが均一になるように平らに広げる。金属製のバットにのせて冷凍庫で急速冷凍。

これで冷凍庫にイン！

 解凍 必要な分だけ使える

凍った状態でパラパラとほぐれるので必要な分だけ解凍できる。凍ったまま加熱調理に使用。サラダなどに使う場合は電子レンジ（500W）で約1分30秒（100gの場合）加熱して解凍するか、冷蔵庫で半日程度（100gの場合）自然解凍。

おすすめの食べ方

煮物以外にも、解凍後、野菜や豆類と合わせてサラダや和え物に、また卵焼きの具材にも。手軽に栄養をプラスできる。

ひじきの戻し方

ゴミは取り除いて

ボウルにたっぷりの水とひじきを入れ、約20分常温で戻す。ひじきが4倍程度の量になったら一度ザルにあげ、2〜3度水を替えながらよく洗ってゴミなどを取り除く。

かずのこ

冷凍できるのは「味付けかずのこ」だけ

店頭のかずのこは2種類。生のかずのこを強めの塩で漬けた「塩漬けかずのこ」と、塩漬けかずのこの塩を抜いて薄皮をむき、味付けし直した「味付けかずのこ」。塩漬けかずのこは冷凍すると、食感が損なわれるので冷凍保存はNG。一方、味付けかずのこは冷凍向き！漬け汁ごとパックに入った市販品はそのまま冷凍可能。

塩漬けかずのこ

白い薄皮がついている

味付けかずのこ

白い薄皮がついていない

味付けかずのこの冷凍方法

これで冷凍庫にイン！

漬け汁にしっかりひたして！

冷凍用保存容器にかずのこを漬け汁ごと入れ、汁もれしないようにしっかりとふたをする。漬け汁はかずのこがひたるくらいの量が必要。足りない場合は、乾燥を防ぐために漬け汁を作って補充する。

漬け汁の作り方

水：白だし＝4：1の割合で作る。白だしは商品によって塩分濃度に差がある場合があるので、味をみて加減する（塩気の目安は煮物より少し濃いめ）。

解凍

300ml容量の冷凍用保存容器1個分の味付けかずのこは、食べる15時間前に冷凍庫から冷蔵庫に移して解凍し、汁気を切って食べやすい大きさに手でちぎる。コーンやきゅうりと一緒にマヨネーズで和えたり、酢の物に加えたりしても◎。

焼き魚

焼き立てのおいしさ
復活の解凍テクニック

余った焼き魚は冷蔵保存よりも乾燥しにくい「冷凍」がおすすめ。焼き魚は1切れずつラップでぴったりと包んで乾燥と酸化を防ぎ、まとめて冷凍用保存袋に入れ、冷凍庫へ。家で焼いた魚を保存する場合は、焼き立てでラップで包むと蒸気を閉じ込め、水分を保つことができる。

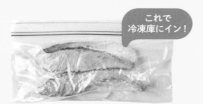

これで冷凍庫にイン！

解凍

切り身はレンチンでふっくら

冷凍焼き魚のラップを外して耐熱皿に置き、1切れあたり水大さじ1をまんべんなくふりかける。ラップの端を皿のふちにつけ、皿の中心部分を大きくふくらませてふんわりと覆い（左写真）、電子レンジ（500W）で、1切れ（80〜100g）あたり約2分加熱する。

開きや一尾はフライパンでパリッと

火にかける前のフライパンに、焼き魚の皮を下にして置く。1尾あたり水大さじ2と料理酒大さじ1をまんべんなくふりかける。フライパンにふたをかぶせて弱火で約2分蒸し焼きにする（全体に軽くシワをつけたアルミホイルで代用OK）。ふたを外して焼き魚をひっくり返し、さらに約2分加熱して完成。

刺身

食べ切れないなら
漬けにして冷凍が◎

刺身は漬けにして冷凍すると日持ちする。まず刺身に塩少々をふってラップをし、10分ほど置いて水気をしっかり拭き取る。それを冷凍用保存袋に入れ、混ぜ合わせた漬けの調味料（刺身160gにつきしょうゆ大さじ1、酒大さじ2、みりん大さじ2）を注ぎ、空気を抜いて袋の口を閉じる。刺身は素手で触らず必ずトングや菜箸などを使用して。袋を金属製のバットにのせ、冷凍庫で急速冷凍。

これで冷凍庫にイン！

解凍

半解凍状態で加熱調理が鉄則。水温が10℃を超えると食品へのダメージが大きいため、ボウルに水道水をためて氷を入れ、凍ったままの冷凍用保存袋を入れ、氷水解凍を。5〜10分で調味液が溶けるので、中の刺身をトングや菜箸で取り出し、加熱調理。必ず一度に使い切る。再冷凍NG。

冷凍に向いている刺身は?

◎ いか、たこ、ホタテは水分が少なく冷凍向き。下味を付けて冷凍し、アヒージョや炒め物などに。

○ マグロ、ぶり、ハマチ、カンパチは竜田揚げや照り焼きなどに、さけ、鯛などの白身魚、えびはアヒージョやフライなどに調理するのがおすすめ。どれも下味を付けてから冷凍。

✕ かつおや、さば、アジなどの青魚は傷みが早いので、その日のうちに食べ切って。

明太子

いくら

もわかめ

めかぶ

ひじき

かずのこ

焼き魚

刺身

市販の冷凍ホタテをプリプリ食感に解凍する方法

迷いがちな市販の冷凍ホタテの解凍方法。用途別の正しい解凍方法をここでご紹介！

刺身やカルパッチョなど、生で食べるなら

「氷+塩」でゆっくり解凍

塩の効果で0℃前後の低い温度を長時間保てるためドリップが出にくく、また浸透圧の働きで水っぽくなりにくい。

1 ボウルに氷と塩を入れる

冷凍ホタテ（生食用）8個程度（約120g）の場合、約350gの氷に対して小さじ1強（約7g）の塩を加えた後、手でよくかき混ぜて全体に塩を行き渡らせる。塩の量は、氷の2％程度が目安。

2 ホタテをボウルに加える

ボウルに冷凍ホタテを加え、ラップをかける。冷凍ホタテが表面に出たり、重なったりするのを避けるため、氷と氷の間に挟むようにして入れる。

3 常温で解凍する

1時間半〜3時間常温に置き（ホタテのサイズや気温により異なる）、解凍されたら取り出して水気をよく拭き取る。

POINT 1時間半ほどたったら、ホタテを1つ取り出して確認を。確認してまだ凍っている場合は、ホタテをボウルに戻して約30分ごとに様子を見ながら解凍を続ける。

急ぐ場合は塩水解凍

3％の食塩水（冷凍ホタテ8個につき水300mℓ、塩小さじ1+1/2）に凍ったままの冷凍ホタテを入れる。解凍時間は夏場で約15分、冬場で約30分が目安。やや食感が落ちるが、塩の効果で水っぽくなりにくく旨みの流出も抑えられる。

加熱調理する場合は?

バター焼きなどフライパンで加熱調理する場合は、半解凍状態にしてから使うと、生焼けや旨みの流出を防げる。電子レンジ解凍はドリップが出やすいため避ける方がベター。シチュー、スープ、炊き込みごはんなどの場合は凍ったまま調理すると旨みを逃さない。

乳製品・卵・太豆製品・練り物の冷凍保存

冷凍方法を知れば
もっと活用できる！

バター

ラップでぴったり覆って

ニオイ移りと酸化を防ぐ

ラップ&保存袋でバターをカバー

開封済みのバターは、賞味期限に関係なく2週間程度で食べ切ろう。難しい場合は冷凍が◎。冷凍の際は、バターの銀紙の上からラップで包むこと。紙は空気を通すのでラップで覆うことで酸化を防げる。これを冷凍用保存袋に入れ、空気を抜いて袋の口を閉じ、冷凍庫へ。バターの銀紙とラップに加え、保存袋に入れることで、ニオイ移りと酸化を防ぐ効果がアップする。

これで
冷凍庫にイン！

解凍

解凍したバターは2週間以内に使い切る

冷蔵庫で自然解凍してから使う。一度、冷蔵庫で自然解凍したバターは、再冷凍できないので、2週間以内を目安に使い切ること。3日以内に使い切らない分は、ラップをしてバターケースなどの保存容器に入れた方が酸化を防げる。もしくは、凍ったままのバターを熱湯などで温めた包丁で使いたい分だけカットするとよい。使わない分はすぐにバターの銀紙とラップの両方でぴったり包んで、冷凍用保存袋に入れて冷凍する。

カットして小分け冷凍なら使い勝手抜群!

調理時のことを考えるなら、カットしてから小分け冷凍がおすすめ。
あらかじめ計量しておくことで使いやすさもアップ。

1 用途に合わせてバターを切る

使用頻度の高い切り方は①5g（パンに塗ったり、料理の仕上げにコク出しのため加えたりするのにぴったり）、②10g（炒め物やシチューなどのベースにおすすめ）、③50g（ケーキやクッキーなどのお菓子作りに）の3つ。

2 ラップで小分けに包む

1個ずつラップで小分けに包む。5gにカットしたバターは、広げたラップの上に、間隔をあけて並べて包み、すき間を人差し指で押して、空気を抜く。

3 アルミホイルで包み保存袋へ

アルミホイルで包んでから冷凍用保存袋に入れ、空気を抜いて袋の口を閉じ、冷凍する。バターは空気だけでなく、光によっても酸化しやすいので、ラップの上からアルミホイルで包むことで、劣化を防ぐ。

①
②

これで冷凍庫にイン！

Idea
ペーパータオルを使うと切りやすい

バターを切るとき、包丁にべったりとくっついて、切りにくい場合は、ペーパータオルを使うのがおすすめ。ペーパータオルを半分に折って、包丁の刃先を挟んでからバターを切ると、包丁や手にバターがベトベトくっつくことなく、スムーズにカットできる。

解凍　小分けにしたバターは凍ったまま使える

凍ったままトーストにのせたり、フライパンに入れて溶かしたりして使う。お菓子作りに使う場合は、夏場は50gにつき常温で30分ほど置くとやわらかくなる。寒い時期はアルミホイルを外し、ラップをしたまま電子レンジ（200W）で、10秒ずつ様子を見ながら加熱し、解凍。ラップとアルミホイルでまとめて包んだバターは、アルミホイルごとハサミで切ると、1個ずつ取り出せる。使わなかった分はすぐに冷凍庫に戻して。

生クリーム

ホイップ＆絞り出して

冷凍すると長持ち

開封後に使い切れない ならば泡立てて冷凍

生クリームは開封すると日持ちしない。しかし、実は冷凍すれば3週間も保存可能に！ そのままではなく泡立てた状態で冷凍すれば、解凍後も分離せずに使える。スイーツ用なら砂糖を入れ、料理用なら砂糖を入れずに泡立てて。植物性・動物性のどちらでも使える保存テクニック。

分離させない冷凍方法

1 しっかり泡立てる

生クリームをツノがしっかりと立つまで泡立てる（8〜10分立て）。分離させないためにはしっかりと泡立てることが大切。スイーツ用で保存したい場合は、200mℓの生クリームに対して、大さじ3程度の砂糖を加える。

2 絞り出して冷凍する

金属製のバットにラップを敷き、泡立てた生クリームを絞り出す（スプーンですくって落としてもOK）。バットの上にぴったりとラップをかけ、冷凍庫に入れる。ラップの上から指で触り、完全に凍っていたら冷凍用の保存袋や保存容器に移して冷凍庫で保存。

解凍 ホットドリンクならそのままオン

〈スイーツに使う場合〉

コーヒーやココアなど温かい飲み物のトッピングなら、凍ったまま使用できる。冷たい飲み物やケーキなどのデコレーションに使う場合は冷蔵庫で30分程度解凍して。

〈料理に使う場合〉

シチューやグラタン、パスタソースなど加熱調理する場合は凍ったまま料理に入れる。粘性のあるドレッシングやディップソースに使うなど、加熱調理しない場合は冷蔵庫で30分程度解凍してから加える。

ヨーグルト

冷凍だと分離する？

砂糖を入れればOK！

100gあたり大さじ1の砂糖をプラスする

プレーンヨーグルトはそのまま冷凍すると、解凍時に分離してしまう。しかし砂糖を加えて冷凍すれば大丈夫。砂糖の量は、ヨーグルトの約10％（100gに対して砂糖大さじ1程度）が目安。ヘラやスプーンなどでしっかりと混ぜ、ふた付きの冷凍用保存容器や冷凍用保存袋に入れ、金属製のバットにのせて冷凍庫へ。砂糖は、同量のはちみつやジャム、練乳などでも代用できる。加糖タイプのヨーグルトはそのまま冷凍して大丈夫。

これで冷凍庫にイン！

Recipe
本格フローズンヨーグルト（2人分）

①ボウルに生クリーム100g、砂糖大さじ2を入れて泡立て器でツノが立つまで泡立てる。②プレーンヨーグルト200gに砂糖大さじ2を加えてよく混ぜ、①と合わせる。③冷凍可能な深型のバットなどの容器に移し、ぴったりとラップをかけ冷凍庫でひと晩凍らせる。冷凍可能なふた付きの容器に移し、冷凍（約1ヶ月保存可能）。スプーンなどで取り出して盛りつける。

保存袋を使う場合は、薄く広げて冷凍すると、食べる分だけポキポキと折って取り出せる。

解凍

冷蔵庫で自然解凍

冷蔵庫に半日ほど置いて自然解凍し、そのまま食べる。少しゆるくなるものの、解凍後も分離せずなめらかな状態。

凍ったまま削ってシャーベットに

容器からスプーンで削ったり、保存袋から折って取り出しておろし金ですったりすると、ふわふわのシャーベット状に。

チーズ

種類別に異なる

冷凍＆解凍法をチェック

開封済みは日持ちしない。食べ切れないなら冷凍

開封済みのチーズは、賞味期限に関係なくなるべく早めに食べ切るのが基本。しかし、冷凍すれば1ヶ月程度保存可能に。一度冷凍して解凍したチーズは風味や舌触りが変わるので、加熱調理して食べるようにして。

スライスチーズ

スライスチーズは冷蔵保存すると、カビが生えやすくなるので気をつけて。冷凍すると長持ちし、乾燥も防げる。

これで冷凍庫にイン！

【冷凍方法】

個包装のシートごと冷凍用保存袋に入れ、空気を抜いて袋の口を閉じ、冷凍する。

【解凍方法】

凍ったままパンにのせてオーブントースターで焼いたり、ハンバーグにのせてフライパンで加熱したりして調理する。もしくは肉で挟んで衣をつけて揚げ、チーズカツにしても。

粉チーズ

粉チーズは長期保存できると思いがちだが、開封後は早めに使い切るのが基本。冷凍保存するとカビが生えにくくなる。

これで冷凍庫にイン！

【冷凍方法】

1回に使う分ずつラップで小分けに包んで冷凍用保存袋に入れ、空気を抜いて袋の口を閉じ、冷凍する。

【解凍方法】

凍ったまま加熱調理して使う。チーズが固まっているときは、手でほぐす。パスタやリゾット、シチューに加えるとよい。

ピザ用チーズ

ピザ用チーズは一度に使い切れないことが多く、冷蔵保存するとカビが生えがち。冷凍するとその心配がなく、少しずつ使えて便利。

これで冷凍庫にイン！

【冷凍方法】

そのまま冷凍用保存袋に入れ、空気を抜くようにして袋の口を閉じ、冷凍する。なるべく薄く平らにチーズを入れるのがポイント。冷凍庫に入れて1時間ほどたったら一度取り出して袋ごと軽く揉むと、パラパラになるので使いやすい。

【解凍方法】

凍ったまま食パンやグラタンにのせてオーブントースターなどで加熱する。オムレツやチーズタッカルビに使っても。

卵白

これでもう悩まない!

余った卵白の使い道

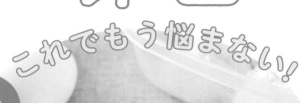

卵白だけ余ったら
ラップで包んで冷凍

料理やお菓子作りで起こるのが、卵黄しか使わず卵白だけ余ってしまうケース。そんなときは冷凍保存がおすすめ。余った卵白を1個ずつラップに包み、まとめて冷凍用保存容器に入れてストックしておけば、いつでも好きな分だけ使えて便利。

生クリーム
ヨーグルト
チーズ
卵白
厚揚げ
おから
ちくわ
さつま揚げ

卵白の冷凍方法

1 深さのある小さめの容器にラップをふんわりとかける。中央をくぼませ、そこに卵白1個分をそっと入れる。

2 そっとラップの端を持ち上げ、なるべく空気が入らないよう茶巾絞りのようにラップをねじり、輪ゴムで留める。

3 冷凍用保存容器に並べて入れ、ふたをして冷凍する。

これで
冷凍庫にイン!

Idea
冷凍卵白の活用方法

スープの仕上げに卵白を

冷凍した卵白は解凍して汁物に加えて卵スープにすると◎。鍋で味噌汁やスープを作り、煮立ったら卵白を加え、火を通す。直前に卵白を箸で軽くかき混ぜると、ふんわり固まりやすい。

メレンゲもすぐ泡立つ

冷凍卵白1個分(約25g)につき冷蔵庫で3時間30分ほど置くと、半解凍状態に。これでメレンゲを作るとハンドミキサーなしでも素早く泡立つ。クッキーやマカロン、シフォンケーキなどに使える。

(解凍) 冷蔵庫で6時間ほど解凍する。もしくは、ラップから出した卵白を耐熱容器に移し、ふんわりとラップをして1個分(約25g)につき電子レンジ(200W)で1分20秒ほど加熱し、半解凍状態にしてから冷蔵庫で解凍すると時短になる。電子レンジで加熱しすぎると、卵白が固まるので注意。料理やお菓子に加熱調理して使う。

厚揚げ

冷凍すると ◯

味が染み込みやすい！

冷凍する前に油抜きを忘れないで

厚揚げを冷凍すると、保存期間が5日から1ヶ月まで延びる上、調理時に味が染み込みやすくなるというメリットが。冷凍の際は、ボウルの上にザルをのせて厚揚げを置き、上から熱湯をまんべんなくかけて油抜きを。湯を切ったら水気をしっかり拭き取って。食べやすい大きさに切ってから3〜4個まとめてラップで包み、冷凍用保存袋に入れて冷凍庫へ。

これで冷凍庫にイン！

解凍

冷蔵庫に半日以上置き、ペーパータオルで水気を軽く拭き取る。ぎゅっと絞るのはNG。その後加熱調理に使用して。この方法が最も生に近い食感を保てる。

〈すぐに使いたい場合〉
① 凍ったまま煮物などに入れる。火が通るのに時間がかかるため、通常よりも長めに加熱を。味がより染み込みやすくなるため、味付けはやや控えめに。
② 電子レンジ（500W）で、1切れにつき40秒（3切れの場合は90秒）加熱し、水気を拭き取ってから使う。ただし、電子レンジ解凍は厚揚げがパサつきやすくなるので注意。

Recipe ／ 厚揚げのとろ煮

冷凍厚揚げを使うから、味が染み込みやすい！

① 鍋に冷凍厚揚げ1枚分（解凍し、水気を軽く切ったもの）、なす1本（5切れ程度にカット）、砂糖小さじ2、しょうゆ大さじ1、水100㎖を入れて沸騰させる。② 沸騰したら、落としぶたをし、弱火で約7分煮る。

おから

おからの冷凍ストックでヘルシー料理が簡単に

これで
冷凍庫にイン！

使う分だけ小分けして
ラップで包んで冷凍しよう

低糖質かつ食物繊維が豊富で近年、人気急上昇中のおから。ただ、生のおからは日持ちがせず、開封後はすぐに悪くなりがち。そんなときは冷凍しておくと◎。おからは小分けにしてラップで包み、冷凍用保存袋に。空気を抜くように袋の口を閉じ、冷凍庫へ。冷凍したおからは、凍ったまま調理できて使い勝手抜群！

冷凍おからの活用術3選

卯の花に

冷凍した生おからは凍ったまま煮物や炒め物に加えてOK。卯の花なら具材を炒め、煮汁を加えるタイミングで一緒に加えて。ふたをして、しばらく煮たら、解凍と同時に加熱調理が完了する。冷凍している分、加熱時間が長くなるため、水分は多めにするとよい。

ハンバーグに加えて

ヘルシーでボリューム満点のおからハンバーグも冷凍おからで手軽に作れる。冷凍した生おからは冷蔵庫でひと晩解凍（100gで約8時間）し、ひき肉と一緒にこねて肉ダネに。おからは他の具材と混ざればいいので、半解凍状態でもOK。

ポテトサラダ風に

じゃがいもの代わりにおからを使うとヘルシー。生おからは使う分だけラップのまま電子レンジ（600W）で100gにつき1分40秒加熱。ラップを外して耐熱ボウルに入れ、全体を混ぜる。ふんわりとラップをして電子レンジでさらに加熱（10秒ずつ様子を見ながら）し、触って熱くなるまで加熱する。粗熱がとれたらマヨネーズや他の具材と混ぜる。和えるときは牛乳で少しのばすとパサつきにくくなる。

ちくわ

丸ごとラップに包んで

乾燥から守って

意外と日持ちしないので劣化する前に冷凍を

これで冷凍庫にイン！

ちくわは未開封でも時間がたつにつれて乾燥して味が落ちがち。すぐに使わない場合は早めに冷凍を。一番乾燥しにくいのは丸ごと保存。表面の水分をペーパータオルなどで軽く拭き取り、ラップで1本ずつ包む。ただし、何本かまとめて使うのであれば、2〜3本ずつでもOK。ラップに包んだちくわをまとめて冷凍用保存袋に入れて、冷凍庫へ。

（解凍）凍ったまま包丁で好きなサイズにカットできる。必ず加熱調理に使うこと。

カットしてから冷凍なら手軽に使える

使いやすい大きさに切って冷凍すると、少量ずつパラパラと取り出せて便利。幅1.5cmほどが調理時に味が絡みやすい。ペーパータオルで水気を拭き取り、冷凍用保存袋に入れる。空気を抜いて口を閉じ、冷凍庫へ。

少量ずつ使いやすい

これで冷凍庫にイン！

（解凍）使う分を取り出して、凍ったまま加熱調理。炒め物などに便利。解凍後はそのままではなく必ず加熱して使用すること。

Recipe ／ お弁当のおかずに！

磯辺揚げ

①冷凍ちくわ1本を縦半分、長さ半分に切る。てんぷら粉50g、冷水80mℓ（てんぷら粉に加える水はパッケージ記載の量に従う）、青のり小さじ⅓を合わせておく（A）。②フライパンに1.5cmほどの高さまでサラダ油を注ぎ、Aに絡めたちくわを加え、揚げ焼きにする。

ちくわとピーマンの酢豚風

①ピーマン1個は乱切りに、冷凍ちくわ2本（約70g）は1〜2cm幅の輪切りにする（輪切り冷凍の場合は不要）。②トマトケチャップ大さじ1、酢大さじ½、酒小さじ1、砂糖小さじ1、水大さじ1、鶏ガラスープの素少々、塩・こしょう各少々を合わせておく（A）。③フライパンにごま油小さじ1を熱し、凍ったままのちくわを加え炒める。ピーマンを加えて炒め合わせ、Aを加える。煮立ったら水溶き片栗粉（水小さじ1と片栗粉小さじ⅓を合わせる）を加えとろみをつける。

さつま揚げ

必ず油抜きして冷凍

解凍後に味がよく染みね

ラップでぴったり包んで乾燥するのを防いで

一度開封したさつま揚げは、時間がたつと乾燥して味が落ちてしまいがち。すぐに使わない場合は、早めに冷凍して。冷凍の際はさつま揚げの両面に熱湯を軽くかけて油抜きを。これにより解凍後に味が染み込みやすくなり、おでんや煮物などの煮込み料理がおいしく仕上がる。油抜き後、水気を拭き取り、ラップで1枚ずつぴったりと包んで。冷凍用保存袋に入れ、冷凍庫へ。

これで冷凍庫にイン！

解凍　オーブントースターで焼く

冷凍したさつま揚げは、揚げたてに近い食感や風味を復活させることが可能。アルミホイルを敷いた天板の上に凍ったままのさつま揚げを並べ、オーブントースター（1000W）で1枚あたり7分加熱すると、香ばしい風味が楽しめる。

おでんや煮物に加える

冷凍したさつま揚げは、冷凍効果で細胞が破壊され、味が染み込みやすくなるので、おでんや煮物に最適！　煮汁やつゆが煮立ったら、凍ったままカットしたさつま揚げを加え、温まるまで煮るだけで食べられる。

冷凍したさつま揚げは凍ったまま包丁でカットできるので、適当な大きさに切って、煮たり、焼いたり炒めたりして加熱調理をする。

はんぺん

未開封なら袋ごと！なるべく早めに冷凍を

日持ちがしないはんぺんは冷凍すると3～4週間と長持ち。凍ったまま調理すれば、冷凍前と変わらないおいしさに。未開封なら袋のまま冷凍用保存袋に入れて冷凍できる。開封後のはんぺんは、空気が入らないようラップでぴったり包み、乾燥を防いで。冷凍用保存袋に入れ、空気を抜いて袋の口を閉じ、冷凍庫へ入れる。

これで冷凍庫にイン！

解凍

凍ったまま好みの大きさにカットし、加熱調理。ハンバーグのつなぎなどに使うなら、1枚（110g）につき冷蔵庫で約3時間30分、½枚（55g）なら約2時間30分、自然解凍してから調理。電子レンジ加熱による解凍は避けて。自然解凍してそのまま食べてもよい。

Recipe／はんぺんベーコンチーズ（12個分）

①はんぺん3枚は4等分の正方形に切り、厚みを半分に切る。②スライスチーズ（とろけるタイプ）3枚は4等分に切り、①の間に挟む。ベーコン12枚でそれぞれ全体を巻き、1個ずつラップで包み、冷凍用保存袋に入れて冷凍。3週間程度保存可能。
【調理方法】フライパンにサラダ油適量を入れて弱火で熱し、凍ったままの②を並べ、ふたをして4分、裏返してさらに3分焼く。好みでマヨネーズ適量を添え、青のり適量をふる。

かまぼこ

水分をしっかり保持してスカスカな食感にしない

かまぼこは、冷凍&解凍の過程で水分が出やすく、食べたときにスカスカして味が落ちたと感じやすい食材。保存と調理をする上で水分が逃げないよう工夫することが重要。気をつけるべきポイントは次の3つ。**1** ラップで包んで冷凍すること、**2** 急速冷凍すること、**3** 凍ったまま水分と一緒に加熱調理すること。詳しくは右を参照して。

解凍

自然解凍すると水分が出て、味や食感が損なわれがち。そのまま食べるより、凍ったまま煮物やうどんに入れて煮たり、凍ったまま水分の多い野菜（キャベツやもやしなど）と炒めたりして、水分を補う調理法で加熱するとよい。

スカスカにならない冷凍方法

1 かまぼこと板の間に包丁を入れ、そのまま水平に包丁をすべらせ、板から外し、1cm幅に切る。厚さや切り方は好みでOK。

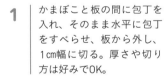

2 1回に使う分を小分けにしてラップで包む。複数枚ずつ冷凍する場合は、かまぼこを寝かせて平らに包むと、凍るまでの時間を短くすることができる。

3 冷凍用保存袋に入れ、空気を抜くようにして袋の口を閉じる。金属製のバットの上に置き、冷凍庫で急速冷凍する。

これで冷凍庫にイン！

こんにゃく

保存 1ヶ月

冷凍→解凍すると 肉のような独特の食感に

こんにゃくは冷凍して解凍すると、肉のような食感に変わるので、食感を生かした料理がおすすめ。こんにゃくは5mmの厚さにスライスするか、2cm角程度にちぎり、冷凍用保存袋に入れて平らに広げ、できるだけ空気を抜いて冷凍庫へ。

これで冷凍庫にイン!

解凍

水を張ったボウルに冷凍こんにゃくを袋のまま入れ、常温で1時間程度置く。電子レンジで解凍すると加熱ムラが生じやすいため、常温で解凍する。すぐに使いたい場合は、熱湯を張ったボウルに冷凍こんにゃくを10〜15分ひたす、もしくは鍋で3〜5分ゆでる。大きさによって解凍時間が異なるため、「芯が解凍されるまで」を目安に。

解凍後、調理に使うときは手でギュッと絞り、水分をしっかりと抜いて。ちぎったこんにゃくは唐揚げに、スライスしたこんにゃくはしょうが焼きにするとよい。

しらたき

保存 1ヶ月

下ゆでしてから冷凍を 解凍後はコリコリ食感に

使い切れないしらたきは冷凍するのも一案。下ゆでして特有のえぐみや臭みを除くと◎。長すぎると使い勝手が悪いので、あらかじめ切っておく。鍋にたっぷりの湯を沸かし、しらたきを3分ほどゆでてザルにあげ、水気を切る。冷凍用保存容器に入れ、しらたき100g(½袋)につき、水を150ml注ぎ、ふたをして冷凍庫へ。

これで冷凍庫にイン!

解凍

容器のふたをずらして、電子レンジ(600W)で約5分加熱(しらたき100gと水150mlが入った冷凍用保存容器1個分の時間の目安)して解凍。

粗熱をとり、しっかり水気を絞ってから調理する。解凍後ならではのコリコリした食感を生かして和え物にしたり、春雨代わりにスープに入れたり、野菜と炒めてチャプチェ風にしてもよい。炒め物の場合は、他の具材に火が通ってからしらたきを加える。凍ったまま調理はNG。

気づけばパンパン！冷凍庫収納、これが正解

アイスバーは箱に立てる

箱入りのアイスバーは、箱の上部をはさみで切り取れば、ワンアクションで取り出しやすくなる。種類が一目でわかる上に、収納アイテムも必要なし！

保冷剤は数を決める

気づくと数が増えている保冷剤は、本当に必要な数を見極めて「定数管理」を。冷凍用保存袋などを利用して「そこに入る分だけ」を意識すると増えすぎを防げる。頻繁に使う場合は、写真のように保存袋の上部を折り返して出し入れしやすい形にするとよい。

使いかけの冷凍食品は丸める

開封済みの冷凍食品は、量が減ってくると立てて収納することが難しくなる。その場合は、袋をくるくると丸めて輪ゴムで留めよう。こうすることで省スペースにもなり、立てて収納することができるようになる。

マスキングテープでラベリング

保存袋の見えやすい位置にマスキングテープで「食材名」「冷凍した日付」をラベリングすると◎。おかずの残りや薬味などを冷凍用保存容器に入れて冷凍する場合は、ふたにマスキングテープを。こちらも、引き出しを開けたときに見えやすい位置に。

すぐに使える収納小ワザ編

立てる収納にはブックエンド

下段で食材を立てて収納するときに便利なのがブックエンド。カゴと比べて食材の量や形に合わせて移動しやすいメリットが。金属製を選ぶことでブックエンド自体が保冷剤の役割を果たし、冷却効果もアップ。

冷凍庫の「リセットデー」を決める

冷凍庫の中身を、きちんと把握することが大切。買い物に行く前に冷凍庫の中をチェックして食材を無駄にしないように。例えば、お給料日前日を、冷凍庫にあるものを優先して使う「リセットデー」にするなど、見直す日を決めると食べ切りやすくなる。

主食類 の 冷凍保存

おいしく食べる
解凍法をチェック

おにぎり

◯ 炊きたてごはんは

おにぎりにしておくと ◎

冷凍に向いた具材を選ぶのが大切

おにぎりは多めに作って冷凍保存しておくと、小腹が空いたときやお弁当などに大活躍。ただし気をつけるべきポイントも。まず、冷凍に適した具材を選ぶこと。具材によって冷凍に向いているものと不向きなものがあるので事前にしっかり確認を。加えて、ごはんがパサつきにくい冷凍方法をしっかり守っておいしさをキープ!

Idea
おにぎりの具材を書いておこう

冷凍用保存袋にあらかじめ具材を記載したシールなどを貼っておくと、わかりやすくて便利。その際、一緒に日付も書いておくといい。

Recipe /
焼きおにぎりは冷凍向き!

焼きおにぎりは、多めに仕込んで冷凍しておくと、その都度焼く必要がなく、とってもラク。電子レンジで加熱するだけで、いつでも手軽に焼きおにぎりが楽しめる。

1 ボウルに温かいごはん400gを入れ、炒りごま(白)大さじ1、しょうゆ大さじ1、みりん小さじ1、顆粒和風だし小さじ1を加えてしゃもじで混ぜる。均一に混ざったら4等分し、おにぎりを握る。雑菌が付かないように、ラップや調理用の手袋を使って。

フッ素樹脂加工のフライパンにおにぎりを並べ、強めの中火にかける。3分焼いたら裏返してさらに3分焼く。両面焼き色がついたら取り出して、粗熱をとる。

2 冷めた焼きおにぎりを1個ずつラップで包み、冷凍用保存袋に入れて冷凍する。表面を焼いているので、すぐにラップで包まなくても

パサつかない。
食べる際は、ラップをしたまま1個(100g)につき電子レンジ(500W)で2分加熱する。

冷凍おにぎりを作る方法

1 おにぎりを握る

広げたラップに塩をふり、温かいごはんをのせ、好みの具をのせる。ラップで包んで握る。雑菌が付かないように、ラップや調理用の手袋を使って。

2 温かいうちに包む

おにぎりが温かいうちに1個ずつラップでぴったり包むと、ごはんがパサつくのを防ぐことができる。のりはおにぎりの水分を吸ってふにゃふにゃになるため、巻かないこと。

3 冷凍用保存袋へ

おにぎりが冷めたら冷凍用保存袋に入れ、空気を抜いて袋の口を閉じ、冷凍する。

これで冷凍庫にイン!

 解凍 冷凍したおにぎりは、ラップをしたまま1個(100g)につき電子レンジ(500W)で2分加熱する。好みでのりを巻いていただく。

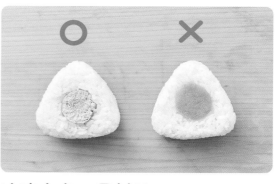

冷凍向きの具材は?

冷凍に向かない具材 水分が多い具材や生もの(いくら、生のたらこや明太子、大葉など)は傷みやすいので冷凍には不向き。ツナマヨなどマヨネーズを使う具材も、解凍する際に電子レンジで加熱するとマヨネーズが分離しやすいので避ける。

冷凍向きの具材 梅干しや昆布・塩昆布、さけ、焼いたたらこや明太子、おかかなど、定番の具材は冷凍向き。ちりめんじゃこや炒りごまなどの混ぜ込みごはんも冷凍可能。炊き込みごはんの場合、大きなこんにゃくやたけのこは、食感が変わりやすいため、取り除くとよい。

冷凍おにぎりはお弁当に持っていける?

冷凍したおにぎりは、お弁当に持っていくことも可能。ただし、自然解凍したおにぎりはおいしくないので、必ず電子レンジで解凍してから持っていくこと。出先に電子レンジがある場合は、おにぎりを凍ったまま(夏場は保冷バッグに入れて)持っていって、食べる直前に電子レンジで加熱して。

もち

お好み食感別の

解凍ワザをマスター ○

食べ切れないなら冷凍保存しよう

正月のもちがたくさん残ったら、冷凍保存が便利！個包装されていないもちや、手作りのもちは、1切れずつラップに包み、冷凍用保存袋に入れて冷凍庫へ。つきたてのもちは、粗熱をとって食べやすい大きさに切り、ラップに包んで冷凍用保存袋に。個包装された市販のもちは、賞味期限が長いため、基本的には冷凍不要。期限内に食べ切れないなら冷凍保存でさらに1ヶ月長持ち。

これで
冷凍庫にイン！

電子レンジ解凍なら、もっちり濃密な食感に

ラップはせずレンジへ

耐熱皿にオーブンシートを敷き、冷凍もちを置いて、ラップをせずに1個につき電子レンジ（500W）で45〜50秒加熱する。電子レンジで解凍すると芯までもっちりとやわらかくなる。粒あんやきなこなどと相性抜群。

水を加えてふわふわ食感に

耐熱容器に冷凍もちを1個入れ、水大さじ1を加えて、ラップをせずに電子レンジ（500W）で30秒加熱。もちを裏返して、さらに30〜40秒加熱して取り出し、スプーンでもちを練ると水分がもちに入って、つきたてのようなやわらかさに。大根おろしを添えて、からみもちに。

オーブントースターで、カリッと香ばしく！

アルミホイルを敷いて

オーブントースターの網の上にフライパン用アルミホイル（アルミホイルに薄くサラダ油を塗って代用可）を敷いて冷凍もちをのせ、10分加熱する。もちがふくらんできたらさらに2〜3分焼いて、好みの焼き色をつける。

磯辺巻きがおすすめ

焼いてふくらんだもちにしょうゆを塗ると、ふくらみが落ち着いて、しょうゆがよく染みます。焼きのりを巻いて、熱々のうちに召しあがれ。

フライパンで、外カリッ＆中とろっ

両面ともに焼いて

フッ素樹脂加工のフライパンに冷凍もちを置き、中火で5分加熱し、ひっくり返して5分加熱する。もちがふくらんできたらさらに2〜3分焼いて、好みの焼き色をつける。鉄製フライパンの場合は薄くサラダ油を塗って。

みたらし風の甘辛味がぴったり

フライパンで焼くと、外側カリッと中はとろっとした食感に！焼き立てに砂糖じょうゆを絡めてみたらし風に。甘辛味が後を引く。

鍋で加熱すれば、トロ〜ンとやわらかに

冷たい煮汁に入れる

鍋で煮るときのポイントは煮汁が冷たいうちに凍ったままのもちを入れること。中火で10分ほど煮ると、トロ〜ンとやわらかな食感に。

やっぱりお雑煮に◎

お雑煮なら水（だし汁）、鶏肉、冷凍もちを入れて中火で熱する。鶏肉に火が入り、もちがやわらかくなったら、塩・しょうゆで味を調える。かまぼこや三つ葉を添えてでき上がり。

菓子パン・惣菜パン

種類に合わせた冷凍&解凍法を
選ぶのが味の分かれ道

生の果物や生クリームを使ったパンは不向き

冷蔵保存すると水分が抜けて乾燥したり、冷めて硬くなったりするパンも、冷凍保存なら約2週間もおいしさをキープできる。ほとんどの菓子パン・惣菜パンは冷凍できるが、冷凍すると食感が変わるいも類・ゆで卵・生の果物や、解凍時に加熱すると溶けてしまう生クリームを使ったパンは冷凍NG。ただし、加熱して潰したいも類、ゆで卵の黄身だけを使ったものは、冷凍してもおいしく食べられる。

冷凍
NG

いも類

ゆで卵

生の果物、生クリーム

冷凍中の酸化を防いでおいしさキープ

菓子パン・惣菜パンを冷凍するときは密封して酸化を防ぐのがポイント

個包装されたパン

スーパーやコンビニで買う個包装のパンはすでに密封されているので、開封せずに袋のまま冷凍用保存袋に入れて冷凍する。

これで冷凍庫にイン！

個包装されていないパン

パン屋さんなどで買う個包装されていないパンは、なるべく空気に触れないようにするために、1個ずつラップでぴったりと包む。さらに冷凍用保存袋に入れて冷凍。焼き立てのパンは、完全に冷ましてからラップで包む。

これで冷凍庫にイン！

解凍

具材に合わせて解凍方法をチョイス

冷凍した菓子パン・惣菜パンは自然解凍でも食べられるが、オーブントースターでリベイクすると、おいしさアップ。具材に合わせて

2つの解凍方法をご紹介。パンの大きさやオーブントースターの機種、ワット数により焼き加減が異なるので、様子を見ながら温めて。

具材入りパン
（クリームパンやカレーパン、ジャムパンなど）

具材に水分が多く含まれているため、オーブントースターだけでは解凍できない。先に電子レンジで半解凍してからリベイクを。

1 まずレンジで半解凍

凍ったパンを袋から出し、ラップも外す。耐熱皿にのせ、ふんわりとラップをかける。ターンテーブルの端に置き、電子レンジ（500W）で加熱して半解凍。加熱時間はパンの種類によって違うので、右下の表を参照。レンジ加熱したパンは、冷めると硬くなりやすいため、食べる直前に加熱を。

2 加熱してから余熱で温める

アルミホイルでパン全体を包み、オーブントースター（200℃）で焼く。加熱時間は右表を参照。オーブントースターのタイマーが切れてもすぐに扉を開けずに、そのまま余熱で2分程度温める。中心に熱が伝わるまで加熱し続けると表面が焦げる恐れがあるため、余熱を活用。

具材なしパン
（メロンパンやデニッシュなど）

パン生地の中に具材が入っていないパンは、凍ったままオーブントースターでリベイクできる。

1 200℃で加熱

凍ったパンを袋から出し、ラップも外す。アルミホイルでパン全体を包み、オーブントースター（200℃）で焼く。加熱時間は種類により変わるので下表を参照。

2 余熱で2分おく

オーブントースターのタイマーが切れてもすぐに扉を開けずに、そのまま余熱で2分程度温める。

パンの種類別解凍時間

パンの種類	電子レンジ（500W）の解凍時間	オーブントースター（200℃）の解凍時間
クリームパン	20秒程度	5〜6分 + 余熱2分程度
あんパン	20秒程度	5〜6分 + 余熱2分程度
カレーパン	20秒程度	5〜6分 + 余熱2分程度
メロンパン	使用しない	8〜10分 + 余熱2分程度
デニッシュ	使用しない	8〜10分 + 余熱2分程度
ピザパン・ピザトースト	使用しない	10〜12分 + 余熱2分程度

うどん

凍った状態で

素早くゆでて食感をキープ

密封して冷凍焼けを防ぐこと

冷凍したうどんの保存期間はゆでる前、ゆでた後にかかわらず、約1ヶ月。冷凍焼けの原因となる乾燥や酸化を防ぐため、冷凍用保存袋に入れ、しっかり空気を抜いてから保存を。解凍するときは、自然解凍・流水解凍はNG。うどんの主成分であるでんぷんが固まったままなので、ボソボソとした食感の原因に。凍ったまま素早くゆでることが、食感をキープするポイント！

市販のゆでうどんは
袋のまま保存でOK

市販のゆでうどんは、未開封なら袋のまま冷凍できる。冷凍しても食感はあまり変わらないので、すぐ食べない場合は冷凍保存がおすすめ。

個包装のままなら
個包装のゆでうどんを、袋のまま冷凍用保存袋に入れる。空気を抜いて袋の口を閉じ、冷凍庫へ。

 解凍

電子レンジで解凍も可能

鍋にたっぷりの湯を中火で沸かし、凍ったままゆでうどんを入れ、麺がほぐれるまでゆでる。もしくは凍ったままのゆでうどんを袋から取り出して耐熱容器に入れ、ふんわりとラップをして1食分（約180g）につき、電子レンジ（500W）で3分〜3分30秒熱くなるまで加熱する。

乾麺をゆでて余ったら
小分け保存が便利

乾麺のうどんをゆでて余ってしまった場合、冷凍保存が可能。小分けにしてラップで包んで冷凍しておけば、好きな分だけ解凍できて便利です。

1 うどんを1食分（約170g）ずつ小分けし、平らにしてラップでぴったりと包む。

2 冷凍用保存袋に入れ、空気を抜いて袋の口を閉じ、冷凍する。

これで冷凍庫にイン！

 解凍

凍ったまますぐにゆでる

鍋にたっぷりの湯を沸かし、凍ったままうどんを入れ、1食分（約170g）につき約1分15秒ゆでる。もしくは凍ったままうどんのラップを外して耐熱容器に入れ、ふんわりとラップをして1食分（約170g）につき、電子レンジ（500W）で約3分、熱くなるまで加熱する。

生うどんは
打ち粉を落とすことがポイント

手打ち麺などの生うどんは、開封すると乾燥しやすく、意外と日持ちしない場合も。開封後に一度に食べ切れないのであれば、早めに冷凍しよう。

1 ニオイ移りを防ぐため、うどんについた打ち粉（強力粉）を軽く落とす。

2 うどんを1食分ずつ小分けし、平らにしてラップでぴったりと包む。

3 冷凍用保存袋に入れ、空気を抜いて袋の口を閉じ、冷凍する。商品によってゆで時間が大きく異なるため、冷凍用保存袋にゆで時間を書いておくと安心。

これで冷凍庫にイン！

解凍

既定のゆで時間 + 1分

鍋にたっぷりの湯を中火で沸かし、凍ったままの生うどんを入れ、パッケージ表記の時間プラス1分ゆでる。

そうめん

冷凍そうめんは
熱湯でほぐすだけで美味！

余ったら冷凍が正解

そうめんを冷凍する場合は、ゆで時間を短めにし、しっかり水気を切ってから冷凍すること（下記に詳細）。1食分ずつ冷凍用保存袋に入れ、空気を抜いて袋の口を閉じ、冷凍庫へ。多めにゆでて余ったそうめんも、同様に1食分ずつ小分けして冷凍できる。

これで冷凍庫にイン！

Recipe
冷凍そうめんのアレンジ

そうめんチャンプルー

① 冷凍そうめんは1人分（約260g）につき、電子レンジ（500W）で1分30秒加熱し、半解凍状態に。
② フライパンで具材を炒めたところに①を加え、全体を炒めて調味すれば完成。

にゅうめん

① 鍋に煮汁を入れて煮立て、具材を煮る。
② 具材に火が通ったら、冷凍そうめんを凍ったまま加え、菜箸でほぐしつつ、再度煮立ったら完成。

表示時間より20〜30秒短めにゆでる

通常より硬めに仕上げる。ゆでたそうめんはザルにあげ、流水で洗い、しっかり冷やす。十分に冷えたらザルをふってよく水気を切る。水分が多いと味が落ちやすいため、さらに手でやさしく押して残った水分をしっかり出す。

解凍 自然解凍やレンジは不向き

熱湯を張ったボウルに凍ったそうめんを入れ、菜箸でほぐす。ほぐれたらすぐに湯を捨て、水で洗い、冷めたら水気を切る。お好みで薬味を添えて。

ぎょうざの皮

中途半端に余ったら
冷凍してしまおう

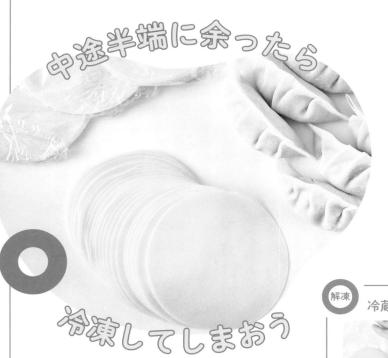

乾燥を防いで 小分け冷凍

半端に残りがちなぎょうざの皮は冷蔵庫で保存すると、乾燥で割れてしまったり、皮同士がくっついてはがれにくくなってしまったりと、悩ましいもの。そこで、おすすめなのが冷凍保存。小分けにすることで、次に使うとき便利！

 解凍 冷蔵庫で10〜15分解凍

冷蔵庫に10〜15分ほど置いて解凍。もし皮同士が凍ってくっついていたら、無理にはがそうとせず、両手で軽く挟んで温めてからそっとはがすといい。解凍後時間がたつと乾燥してしまうので、すぐに使うこと。

ぎょうざの皮の 冷凍方法

1 数枚ずつ包む
数枚ずつまとめて（写真は5枚）ラップでぴったりと包む。少量ずつ小分けにすると、もし皮同士がくっついてしまってもはがしやすい。

2 冷凍用保存袋にまとめて
ラップで包んだぎょうざの皮を冷凍用保存袋にまとめて入れる。このとき、しっかり空気を抜いて口を閉じ、できるだけ空気に触れないようにするのがコツ。金属製のバットにのせて冷凍する。

これで冷凍庫にイン！

Recipe
解凍いらずのワンタンスープ

① 鍋に水400mℓ、顆粒鶏がらスープの素小さじ½、酒大さじ1を沸騰させ、ぎょうざの皮5枚を凍った状態のまま1枚ずつ入れ、ザーサイ10g（キムチ、塩昆布、カットわかめなどでもOK）を加え、ひと煮立ちさせる。
② 塩・こしょう各少々で味を調え、水溶き片栗粉（大さじ1と片栗粉大さじ½を合わせる）でとろみをつけ、溶いた卵1個分を回し入れる。器に盛り、青ねぎの小口切り少々を散らす。

酒粕

冷凍なら保存期間はなんと1年!

甘酒や粕汁に

未開封ならそのまま冷凍保存袋にイン

甘酒や粕汁など、いろいろ使える酒粕は、冷凍すれば1年保存可能! 冷凍用保存袋に入れ、できるだけ空気を抜き、冷凍庫へ。また、冷蔵庫でも半年保存できる。未開封ならそのまま、開封済みのものは保存袋に入れて冷蔵庫へ。また、冷蔵保存なら、酒粕は徐々に発酵が進むので、ときどき様子を見て保存袋がふくらんでいたら開封し、空気を抜く。

Recipe /
冷凍酒粕で簡単甘酒レシピ

① 耐熱マグカップに冷凍酒粕40g、砂糖大さじ1＋½、塩少量、水大さじ2（30㎖）を入れ、電子レンジ（500W）で2分間加熱する。② 酒粕がふやけてきたらスプーンでかたまりがなくなるまで潰すように混ぜ、なめらかなペースト状にする。③ 水120㎖を加え、電子レンジ（500W）でさらに1分加熱。

（解凍）使うときは少量ずつ加熱調理。粕漬けなど生のまま使用する場合は、冷蔵庫で解凍を。使用前に少量の日本酒にひたすとより風味がよくなる。

酒粕の冷凍方法

板状の酒粕	1枚ずつラップで包み、冷凍用保存袋に入れて冷凍。酒粕は冷凍してもやわらかいので、手でちぎって使う。	 これで冷凍庫にイン!
そぼろ状の酒粕	冷凍用保存袋に入れて薄く広げ、できるだけ空気を抜いて口を閉じ、冷凍する。使う分だけ簡単にほぐせる。	 これで冷凍庫にイン!
ペースト状の酒粕（練り粕）	冷凍用保存袋に入れて薄く広げて冷凍する。使用時は必要な分だけ清潔なスプーンなどで取り出す。	 これで冷凍庫にイン!

惣菜・デザートの冷凍保存

あれも、これも、
冷凍できるんです

唐揚げ

○ 揚げてから冷凍が正解

ジューシーさを保つコツ

３つのコツを押さえよう

唐揚げは揚げてから冷凍すると◎。ジューシーさやサクサク食感をキープするコツは３つ。１つ目は、下味にマヨネーズを加えること。鶏肉がやわらかくなる上、油分により肉の水分を保つことができる。２つ目は、衣を付けたらすぐに揚げること。そして３つ目は、高温でカラッと仕上げること。揚がる直前に油の温度を180℃まで上げ（強めの中火）、鶏肉から出る気泡が少なくなるまでしっかり揚げて。

おいしさを
2週間保つ冷凍方法

1 よく冷ます

熱いうちに凍らせると、解凍時に水っぽくなる。油を切ってよく冷まして。表面の温度を確認し、できれば1つ切って中まで冷めているかチェックすると◎。

2 ラップで包む

冷ました唐揚げを2〜3個ずつラップで包む。空気に触れさせないことで、肉や油の酸化を防ぐ。

3 スピード冷凍を

冷凍用保存袋に入れて口を閉じ、金属製のバットにのせて冷凍庫で保存する。金属製のバットにのせることで早く凍り、品質の劣化を防げる。

これで冷凍庫にイン!

解凍 パサパサにならない温め方

おかず用やお弁当用など、用途によって解凍方法を変えるとよい。

お弁当に

ジューシーさを逃さないレンジ解凍

唐揚げはラップを外し、間隔をあけて皿にのせる。電子レンジ(600W)で40秒(3個あたり)加熱。唐揚げの上下を返し、さらに30秒加熱する。

おかずに

サクッと仕上がるトースター解凍

唐揚げはラップを外し、アルミホイルを敷いた天板に間隔をあけてのせる。オーブントースター(1000W)で5分程度加熱。上からアルミホイルをかぶせ、さらに2〜3分加熱する。

Idea

レンジ＋トースターならサクサク＆ジューシー

唐揚げはラップを外し、間隔をあけて皿にのせる。3個あたり電子レンジ(600W)で30秒程度加熱して半解凍。アルミホイルを敷いた天板に半解凍の唐揚げをのせ、さらにオーブントースター(1000W)で3〜4分程度加熱。

Recipe ／ 冷凍してもおいしい唐揚げの作り方

1 鶏肉にしっかり味を付ける

ポリ袋に鶏もも肉(ひと口大にカット)300g、しょうゆ大さじ2、酒大さじ1、マヨネーズ大さじ1、しょうが(すりおろし)小さじ½、にんにく(すりおろし)小さじ½を入れて揉み込み、冷蔵庫で15分程度置く。その後、冷蔵庫から取り出し、薄力粉大さじ2を加えて全体にまわるように揉む。

2 中温→高温で揚げる

ボウルや金属製のバットに片栗粉を広げる。①の鶏肉を入れ、1切れずつ片栗粉を全体に付ける。余分な粉をはたき、中温(170℃)の揚げ油に入れる。3〜5分程度、ときどきひっくり返しながら揚げる。鶏肉がきつね色になったら180℃に温度を上げ、1〜3分揚げる。濃いきつね色になり、唐揚げから出る気泡が少なくなってきたら網に上げて油を切る。

春巻き

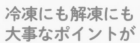

凍ったまま低温で揚げて パリッと食感に

冷凍にも解凍にも大事なポイントが

調理に手間のかかる春巻は、多めに作って冷凍保存しておくのがおすすめ。パリッとした食感に仕上げるには、具材を包んだ「揚げる前」の状態で冷凍し、凍ったまま低温の油で揚げるのが大事。冷凍・解凍、それぞれのポイントをチェックして。

春巻の冷凍の3つのコツ

1 具材の作り方のコツ
具材は片栗粉を多めに使ってかために仕上げることで、具材の水分で皮がふにゃふにゃになるのを防げる。完成した具材は、一度冷蔵庫で完全に冷ましてから包むこと。熱いうちに包むと、具材から蒸発する水分が皮の中にたまり、揚げたときの油ハネの原因に。

2 包み方のコツ
春巻は冷凍すると乾燥し、皮がはがれやすくなってしまう。そのため、具材を巻くときは特に丁寧に。巻き終わりは水溶き小麦粉を多めに塗り、しっかりとのり付けすること。

3 冷凍保存のコツ
ラップを敷いた金属製のバットに、間をあけて春巻を並べ、上からラップをして冷凍庫に。ひと晩ほど置いて完全に春巻が凍ったら冷凍用保存袋に移す。冷凍庫のスペースが足りない場合は、春巻を1本ずつラップで包んでから冷凍用保存袋に入れて冷凍すればOK。

これで冷凍庫にイン！

解凍 低温の油で凍ったまま揚げ焼きに

解凍すると、水分が出て皮がふにゃふにゃになってしまうので注意。春巻に霜が付いていると油ハネの原因になるので取り除くこと。

フライパンに揚げ油を深さ1.5〜2cm入れて中火で熱する。春巻を入れ、4分ほど揚げ焼きに。160℃ぐらいの低めの温度でじっくり揚げることで、中までしっかり解凍される。4分ほどたったら裏返し、強火にしてさらに1分ほど、きつね色になるまで揚げ焼きにする。

エビフライ

保存 1ヶ月

レンジとトースターの

合わせ技で解凍

しっかり冷ましてから ラップで包む

多めに揚げたエビフライは冷凍ストックしておくとお弁当などに大活躍。冷凍の際は、まずエビフライをしっかり冷まして。熱いままラップで包むと、蒸気がたまって衣のサクッと感がなくなるので注意。冷めたら1本ずつラップで包み、霜が付くのを防ごう。包み終えたら冷凍用保存袋に入れ、空気を抜いて袋の口を閉じ、冷凍庫へ。

これで冷凍庫にイン！

Recipe ／ 簡単エビマヨ風

ボウルにマヨネーズ大さじ2、ヨーグルト（加糖）大さじ1、トマトケチャップ小さじ1、レモン汁小さじ½、塩・こしょう各少々（エビフライに下味を付けた場合は不要）を入れ、泡立て器で混ぜる（**A**）。解凍したエビフライ8尾（小エビが◎。大きい場合はカット）に**A**を1尾ずつさっと付けながら盛りつけ、残った**A**を回しかける。あればレタスを添える。

解凍 サクッと仕上げる解凍方法

1 電子レンジで解凍

凍ったままのエビフライはラップを外してから耐熱皿にのせ、2本（約60g）につき電子レンジ（500W）で30秒加熱。ラップで包んだまま加熱すると、衣が蒸気でべちゃっとなりやすいので必ず外すこと。

2 オーブントースターで 仕上げる

エビフライは、電子レンジで解凍しただけでも食べられるが、仕上げにオーブントースターで軽く焼くと、衣がサクッとしておいしい。

唐揚げ　春巻き　エビフライ　天ぷら　ハヤシライス　シチュー　カルボナーラ　親子丼　ピザ　お好み焼き

天ぷら

粗熱と油をしっかりオフ

冷凍してもサクサク!

玉ねぎやゴーヤーなど 水分の多い具材は避ける

天ぷらを冷凍する際は、天ぷらに余分な油や水分を残さないことが大事。揚げるときは具材にしっかり火を通し、仕上げに少し強火にすると衣の水分が飛び、サクサク感が残る。また、玉ねぎ・ゴーヤーなどの水分が多い食材は、解凍後の食感が悪くなるので冷凍保存には不向き。じゃがいもなどの冷凍に向かない食材も避けた方がベター。

冷凍を成功させるポイント

1 油を吸い取り粗熱をとる

油が酸化すると風味が悪くなるため、ペーパータオルで余分な油を吸い取る。また、熱いまま冷凍すると急激な温度変化で結露が発生し衣が水分を含んでしまうので、粗熱がとれるまで常温で冷ますか急ぐ場合はうちわなどであおぐ。

2 ペーパータオルとラップで包む

ペーパータオルで包み、冷凍や解凍の過程で出てくる余分な油や水分を吸い取る。ペーパータオルは厚手のものを使用すると衣が貼り付きにくいのでおすすめ。1食分ずつラップで包んでおくと解凍するときにも使いやすい。

3 密封して急速冷凍

冷凍用保存袋に入れ、口を閉じて密封し、酸化を防ぐ。金属製のバットにのせて冷蔵庫に入れ、急速冷凍する。

これで冷凍庫にイン!

解凍 レンジ解凍はNG! 揚げたて復活テクニック

1 冷蔵庫で自然解凍

天ぷらをペーパータオルとラップで包んだまま冷蔵庫に入れて約30分で解凍できる(かき揚げ1個の場合)。この工程により、おいしさを逃しにくく加熱時間の時短にもなる。自然解凍せず、すぐに加熱したい場合は2の加熱時間を調整。

2 トースターで加熱

シワをつけたアルミホイルの上に、包みを取った天ぷらをのせ、オーブントースター(200℃)で約2分加熱(かき揚げ1個の場合)。焦げないように様子を見ながら、表面がカリッとするまで温める。アルミホイルにシワをつけると、余分な油が落ちやすくなる。1を省くなら天ぷらの上にもアルミホイルをかぶせて焦げを防ぎ、200℃で約5分温める。

ハヤシライス

多めに仕込んで
作りたてを

冷凍すると◎

定番の具材は冷凍しやすい

余ったハヤシライスは、1食分ずつ小分けにして冷凍するとよい。まとめて作って冷凍しておくと、いつでも手軽に食べられるので便利！　定番の具材である牛肉・玉ねぎ・マッシュルームなどのきのこは、冷凍しても食感がほぼ変わらない。じゃがいもなど、冷凍に不向きな食材は取り除く。

おいしさを保つ冷凍のコツ

1 作りたてをしっかり冷ます

作りたてのハヤシライスは金属製のバットに移し、保冷剤または氷水に当てて粗熱をとる。鍋のまま常温で放置すると食中毒が発生しやすいので、作ったらなるべく早く冷まして、冷凍するのが大切。ステンレスやアルミなどの鍋の場合は、鍋底に保冷剤や氷水を当てて冷やしてもOK。

2 保存容器にはラップを敷くと◎

ラップを敷いた冷凍用保存容器に1食分ずつ入れてふたをし、冷凍。ラップを敷くことで容器への色移りを防ぐ。または1食分ずつ冷凍用保存袋に入れ、空気を抜いて袋の口を閉じ、冷凍する。

これで
冷凍庫にイン！

（解凍）**半解凍状態でいったん混ぜる**

冷凍用保存容器の場合

容器のふたをずらし、電子レンジ（500W）で約250g（1食分程度）につき3分ほど加熱して半解凍。一度電子レンジから取り出して全体を混ぜ、さらに3分ほど加熱する。加熱時間が長くなりすぎるとラップが溶ける恐れがあるため加熱時間を守る。

冷凍用保存袋の場合

袋の口を開け、電子レンジ（200W）で約250g（1食分程度）につき4分ほど加熱して半解凍（必ず口を上に向けて立ててから加熱）。耐熱皿に半解凍状態のハヤシライスを移し、全体を混ぜてからふんわりとラップをしてさらに3分ほど加熱。もしくは半解凍状態のハヤシライスを鍋に移し、中火で2分30秒ほどかき混ぜながら加熱。水分が飛びやすいので、様子を見ながら水を少量加えても。

シチュー

じゃがいもは潰して

冷凍しておいしさキープ

冷凍前提で作るなら具材を工夫して

乳製品を使っているため、実は傷みが早いシチュー。すぐに食べ切れない場合は冷凍保存がおすすめ。代表的な具材のじゃがいもは冷凍に不向きのため、冷凍する前提でシチューを仕込むなら、かぼちゃやかぶ・ズッキーニ・きのこなど「冷凍しても食感の変わりにくい野菜」を使えば、潰す手間を省略できる。

おいしさを保つ冷凍のコツ

1 熱いうちにじゃがいもを潰す

じゃがいもは冷凍すると食感が悪くなりやすいので、シチューから取り出してフォークの背などで、かたまりがなくなるまで潰してからシチューに戻す。

2 なるべく早く冷まします

シチューを作ったら、その日食べる分を除いてすぐにバットに広げ、保冷剤または氷水に当てて粗熱をとる。鍋のまま常温で放置すると食中毒が発生しやすい。保存する分はなるべく早く冷まして、冷凍庫に。ステンレスやアルミなどの鍋なら、鍋底に保冷剤や氷水に当てて冷やしてもOK。

3 1食分ずつ小分けする

粗熱をとったシチューを1食分ずつ冷凍用保存容器に入れてふたをし、冷凍。または冷凍用保存袋に入れ、空気を抜いて袋の口を閉じ、冷凍。ビーフシチューやトマトシチューを冷凍する場合は容器にラップを敷いてからシチューを入れると色移りを防げる（P131参照）。

これで
冷凍庫にイン！

解凍

解凍したシチューがボソボソの場合は、一度、電子レンジから取り出した際に牛乳または水を少量加えて全体を混ぜてから再度加熱して。

冷凍用保存容器の場合

容器のふたをずらして、電子レンジ（500W）で300g（1食分程度）につき5分加熱。一度電子レンジから取り出して全体を混ぜ、さらに3分加熱。

冷凍用保存袋の場合

袋の口を開け、電子レンジ（500W）で300g（1食分程度）につき1分30秒加熱。耐熱皿に半解凍状態のシチューを移し、ふんわりとラップをして電子レンジでさらに2分30秒加熱。一度電子レンジから取り出して全体を混ぜ、さらに3分加熱する。

ガパオライス

具だけ1食ずつ

冷凍しておけば便利

1食分ずつラップで包んで保存袋へ

ガパオライスの具を冷凍作り置きしておけば、食べたいときに解凍してごはんにのせるだけ。パスタ、うどん、そうめん、中華麺はもちろん、おかゆに合わせてもおいしい！　粗熱をとったガパオライスの具は1食分ずつラップで包んで冷凍用保存袋に入れ、金属製のバットにのせて急速冷凍する。

解凍　ラップを外して耐熱皿にのせ、ふんわりとラップをかける。1人分（120g）の場合、電子レンジ（500W）で1分加熱して半解凍状態にし、一度電子レンジから取り出して全体を混ぜ、再びラップをして1分加熱する。

Recipe

ナンプラーを使わないガパオライスの作り方（2人分）

ナンプラーは白だし+ちりめんじゃこで代用して◎。

①玉ねぎ¼個は1cm厚さのくし形切りに、赤パプリカ¼個は1cm幅の斜め切りに、にんにく1片はみじん切りにする。バジル（大葉数枚でも可）3〜4枝（小葉14〜16枚程度）の葉は飾り用に一部取り分け、残りは葉を1枚ずつ摘んでおく。大きな葉は半分にちぎる。

②フライパンにごま油大さじ1を熱し、①のにんにくを加えて炒め、香りが立ったら鶏ひき肉（豚ひき肉や合いびき肉でも可）200gを加えて炒める。

③肉がパラパラになったら、ちりめんじゃこ大さじ1を加えて少し炒め、その後①の玉ねぎと赤パプリカを加える。

④③に白だし大さじ1+½（しょうゆ大さじ½でも可）、オイスターソース小さじ1、酒大さじ1、塩・こしょう・一味唐辛子各少々を加えて軽く混ぜ、①のバジルを加える。全体に調味料がなじんだら火を止める。これで具が完成。

⑤目玉焼きはふちがカリッとするよう強火で焼く（2個分）。皿にごはんを盛り、④をかけ、目玉焼きをのせる。斜め薄切りにしたきゅうり・半分に切ったミニトマト・くし形切りのレモン各適量と①のバジルの葉先を飾る。

親子丼

卵を足すだけで

親子丼がすぐ完成

下味冷凍なら
具材に味が染み込む

親子丼の具は下味冷凍がおすすめ！ 冷凍用保存袋に親子丼の具と調味料を入れるだけなので、とっても簡単。冷凍することで、鶏肉や玉ねぎに味が染み込みやすくなる。

めんつゆで卵以外の具を下味冷凍

1 材料を全部保存袋へ

鶏もも肉1枚（220g）は、ひと口大、玉ねぎ¼個は薄切り、しょうがは1片は千切りに。冷凍用保存袋を2枚用意し、半量ずつ入れる。めんつゆ（2倍濃縮）大さじ5、水大さじ6、砂糖小さじ1を混ぜ合わせて袋に半量ずつ注ぐ。保存袋を計量カップや深めの器にかぶせて材料を入れると、液体がこぼれにくく、入れやすい。

2 急速冷凍する

空気を抜いて袋の口を閉じ、金属製のバットの上に置き、冷凍庫で急速冷凍する。

これで冷凍庫にイン！

 解凍

1 鍋に凍った具を入れて煮る

小さめのフライパンに凍ったままの親子丼の具（1袋1人前）を入れる。ポキッと折ってから入れると、おさまりがいい。ふたをして中火にかけ、4〜5分煮る。ときどきふたを外してかき混ぜるとよい。煮立ったらアクを除いて弱火にし、1分30秒ほど煮る。

2 火が通ったら溶き卵を加える

鶏肉に火が通ったら溶き卵2個分を回し入れ、刻んだ三つ葉の茎適量を散らす。ふたをしてひと呼吸置き、火を止める。卵が半熟状になったら、ごはん適量を盛った器にのせ、刻んだ三つ葉の葉適量を散らす。

ピザ

余ったピザの冷凍は

小分けで包んで乾燥防止

これで
冷凍庫にイン!

しっかり冷まして
ラップで包む

一度冷凍して解凍したピザは、乾燥していて生地がおいしくない?　いいえ、上手に冷凍&解凍すれば大丈夫。冷凍の際はラップで小分けに包み、乾燥を防いで冷凍用保存袋に入れ、空気を抜いて口を閉じて。ピザが温かい場合はそのまま常温で冷ましてからラップで包むこと。生野菜や果物、じゃがいも、ゆで卵など冷凍に向かない食材は取り除こう。

 解凍

フライパンで焼くと香ばしい!

アルミホイル(あればフライパン用アルミホイルがおすすめ)をくしゃくしゃにし、フライパンに敷く。冷凍ピザのラップを外して、霧吹きで軽く水を吹きかけてフライパンに並べ、ふたをして弱火で16分ほど焼く。火が強すぎると、具材は冷たいのに生地の裏だけが焦げてしまうことも。弱火で様子を見ながら加熱すること。具の種類や生地の厚みの違いで解凍時間が異なるので、様子を見ながらその都度調整を。

トースターで焼くとカリッと仕上がる!

ラップを外して、霧吹きで両面に軽く水を吹きかける。クリスピーなピザが好みの場合は、水は吹きかけなくても◎。あらかじめ温めておいたオーブントースター(200℃)で6分ほど焼く。焼く際に焦げるようなら途中でアルミホイルをかぶせて。具の種類や生地の厚みの違いで解凍時間が異なるので、様子を見ながらその都度調整を。

Idea

チーズを追加でトッピングすると増量したチーズがとろけて、よりできたてに近いおいしさに!

お好み焼き

1枚ずつ冷凍して

おいしさ長持ち

ラップでぴったり包んで乾燥から守って

お好み焼きは必ず、しっかりと焼いてから冷凍保存を。ラップと冷凍用保存袋で乾燥を防げば、冷凍前とほぼ変わらない味わいが楽しめる。ただ温かいままラップで包むと、蒸気がこもって水滴になり、べちゃっとする原因になるので、しっかり冷ますこと。ラップで包む際は空気を遮断するようにぴったり包むよう意識して。

≫

カットしてから冷凍すればお弁当に活躍!

ラップで小分け冷凍

約6等分しておくと食べやすく、お弁当にも詰めやすい。好みの大きさでもOK。1カットずつラップで包み、冷凍用保存袋に入れて空気を抜いて袋の口を閉じ、冷凍する。

これで冷凍庫にイン!

≫

解凍

ラップをしたまま耐熱皿にのせ、電子レンジ（500W）で2カット（約100g）につき2分20秒加熱し、ソースやマヨネーズ、青のりなどをトッピング。お弁当の場合はソースなどをかけてから詰めるとよい。あれば仕切りなどで他のおかずとくっつかないよう工夫しよう。小さい容器にソースなどを入れて別添してもよい。

解凍

仕上げにトースターを使うと◎

ラップをしたまま耐熱皿にのせ、電子レンジ（500W）で1枚（約300g）につき6分加熱。器に盛り、ソースやマヨネーズ、青のりなどをトッピングする。電子レンジ加熱の後、仕上げにオーブントースター（200℃）で3分ほど焼くと、表面がカリッとしておいしい。

広島風お好み焼きも同様に冷凍可能。ただし解凍は要注意。キャベツから水分が出やすいのでラップを外してから加熱を。1枚（約460g）につき電子レンジ（500W）で7分加熱が目安。

電子レンジで！冷凍肉まんのベストな解凍法は？

マグカップでレンチンが新常識

蒸し器のような効果が

マグカップに高さ1〜2cm（約30mℓ）の水を入れ、敷き紙（グラシン紙）を外した冷凍肉まんをのせる。ラップをふんわりとかけ、電子レンジで約3分加熱する。蒸し器のように肉まんが底から温められ、全体がふっくらと仕上がる。

Point 肉まんの直径よりも口径の小さい、電子レンジ対応のマグカップを使う。ラップをかけると、底に当たった蒸気が外に逃げずに肉まん全体に行き渡り、熱が均一に入る。

生地はふっくらやわらか中まで熱々に！

生地がやわらかく、ふっくらと仕上がった。中心まで熱々になり、電子レンジ解凍の中では最もおいしく解凍できた。こちらは時間がたってもかたくなりにくい。

検証！その他の解凍方法では？

ラップのみで解凍

冷凍肉まんを耐熱容器にのせ、ラップをふんわりかける。電子レンジ（500W）で約1分20秒（1個の場合）加熱した。生地の底面がかたく、時間がたつにつれて生地が全体的にどんどんかたくなってしまった。できるだけ加熱直後に食べるとよさそう。

直接濡らす＋ラップで解凍

冷凍肉まんをさっと濡らし、耐熱皿にのせてラップをふんわりとかけて電子レンジ（500W）で約1分30秒（1個の場合）加熱した。生地にややムラがあるが、しっとりとしてやわらか。こちらも解凍後1〜2分でかたくなりはじめるので、温かいうちに食べるとよさそう。

濡らしたペーパータオル＋ラップ

冷凍肉まんを水で濡らしたペーパータオルで包み、耐熱皿にのせてラップをふんわりとかけ、電子レンジで約1分40秒（1個の場合）加熱した。生地はふっくら・しっとりと仕上がり、中心まで熱々ジューシーに温まったが、解凍後1〜2分でかたくなりはじめるので、温かいうちに食べるとよさそう。

やっぱり蒸し器を使うとおいしい

食品を中心から加熱する電子レンジに対し、水蒸気でじっくりと加熱する蒸し器は温度が急激に上がらず、食品全体を均一に温められる。蒸し器がない場合も、下記を参考に深めのフライパンや鍋で代用できる！

耐熱皿が入る大きさの深めのフライパンか鍋に水を3cm程度張る。高さ3cm程度の2枚の耐熱皿同士の底を合わせて置き、冷凍肉まんをのせる。水滴が垂れるのを防ぐため、ふたを布巾で包んで鍋にかぶせ、強火にかける。沸騰後中火で15分加熱。個数が多い場合も加熱時間は同じ。

ミートソース

解凍すると水っぽい…

**その悩みを
解決するワザ** ◯

しっかり冷まして解凍後の水っぽさを解消

ミートソースは多めに作って冷凍しておくと便利。作りたてのミートソースは、氷水か保冷剤に当ててしっかり冷まして。温かいまま袋に入れると水滴がたまり、水っぽくなる原因に。冷めたら、冷凍用保存袋を計量カップや深めの器にかぶせて、ミートソースを入れる。1人分ずつ（180gが目安）小分けすると◎。袋の空気を抜いて口を閉じ、ミートソースを薄く平らに広げて金属製のバットに置き、冷凍庫に。

これで冷凍庫にイン！

保存容器で冷凍すると解凍が楽チン

容器にラップを敷いて！色＆ニオイ移りを防止

冷凍用保存容器にラップを敷き、粗熱のとれたミートソースを1人分（180gが目安）ずつ入れ、ふたをして冷凍する。

解凍 容器のふたをずらして電子レンジ（500W）180gにつき、2分加熱する。一度電子レンジから取り出して全体を混ぜ、さらに2分加熱。電子レンジの加熱時間が長くなりすぎるとラップが溶ける恐れがあるので、加熱時間は守る。

解凍 レンジ加熱は半解凍で止める

冷凍用保存袋の口を開け、寝かせて耐熱皿にのせ、電子レンジ（200W）で360g（2人分程度）につき2分加熱して半解凍。鍋またはフライパンにミートソースを移し、水大さじ1を加え、中火にかける。ときどき混ぜながら、表面がふつふつとし、適度な濃度になるまで温める。

少量ずつ使いたいなら保存袋に入れたミートソースにあらかじめ箸で筋を付けて冷凍するとよい。少し凍ったタイミングだとより筋を付けやすい。
解凍の際は、袋の口を開け、使いたい分だけポキッと折って取り出す。耐熱容器に移し、ふんわりとラップをして90gにつき電子レンジ（500W）で2分加熱。

肉団子

焼いてから冷凍が正解

これで
冷凍庫にイン！

おいしさ長持ち！

しっかり冷ましてから冷凍用保存袋へ

肉団子を生のまま冷凍すると、肉が乾燥しやすく調理したときにパサつきがち。加熱してから冷凍保存した方が、肉の品質が劣化しにくい！　焼いた肉団子は、ペーパータオルを敷いた金属製のバット（または平らな皿）に移し、粗熱をとる。冷凍用保存袋に入れ、なるべく空気を抜いてから袋の口を閉じ、冷凍庫へ。

（解凍）凍ったままの状態でスープや炒め物に利用する。すでに加熱済みなので、火にかける時間は3分程度でOK。加熱しすぎると硬くなってしまうので要注意。

Recipe／冷凍向きの肉団子（約12個分）

玉ねぎを生のまま混ぜることで臭みを抑えて。
解凍後に肉が硬くなる原因になるので
しっかり混ぜすぎないのが大事。

①ボウルに合いびき肉250g、玉ねぎ（みじん切り）¼個分、小麦粉大さじ2、塩小さじ½を入れ、スプーンなどを使ってなめらかにまとまるまで混ぜる。手のひらに大さじ2程度の量をのせて丸めていく。スプーンなどで少し押すようにしながら成形すると、焼いたときに崩れにくい。

②フライパンにサラダ油大さじ1を入れ、中火で焼く。全体に焼き色がついたら弱火にし、フライパンを小刻みに動かし、転がしながら焼くとムラなく火が通る。肉から出た余分な脂はこまめに拭き取る。竹串を中心まで刺して、透明な肉汁が出てきたら火が通った合図。

味付けしておくとお弁当に便利

粗熱をとった肉団子とトマトケチャップを冷凍用保存袋に入れる。約12個分（ひき肉250g分）の肉団子に対し、トマトケチャップ大さじ2が目安。手で軽く揉んでなじませ、なるべく空気を抜いてから袋の口を閉じ、冷凍庫へ。

（解凍）すぐに食べる場合は電子レンジで加熱解凍。食べる分だけ取り出して耐熱皿にのせ、ふんわりとラップをして電子レンジ（500W）で1個あたり約50秒加熱。1個増やすごとに30秒追加加熱が目安。お弁当に入れる場合は凍ったままでもよい。

ピーマンの肉詰め

○風味を守るため

焼いてから冷凍が◎

乾燥から防ぐため ぴったりラップで包む

ピーマンの肉詰めは焼いてから冷凍すると、おいしさが長持ちする。ただし熱いままラップで包むのはNG。水蒸気でピーマンが蒸れてベタつくので、粗熱をとって。冷めたら、1個ずつラップで包む。乾燥すると味わいが損なわれるため、なるべく表面が空気に触れないようぴったりと包んで。冷凍用保存袋に入れて空気を抜いて袋の口を閉じたら冷凍庫へ。

Recipe／ピーマンの肉詰め（約12個分）

冷凍しても肉ダネがはがれにくい！

①ピーマン6個のヘタの周りに切り込みを入れ、ヘタとタネを取る（下写真）。ヘタを切り取った部分から、小麦粉（ピーマン1個あたり小さじ1程度）を入れる。開いている部分を手で塞ぎ、6回ほど軽くふって内側に小麦粉をまぶしたら、切り口を下にして、余分な粉をはたき落とす。

②ボウルに豚ひき肉200ｇ、玉ねぎ（みじん切り）½個分、小麦粉大さじ2、塩小さじ½、こしょう少々を入れて約1分程度こねる。指で押し込むようにしてピーマンの中に肉ダネを詰める。

③フライパンにサラダ油大さじ1を入れ、中火で熱する。ピーマンの肉詰めを転がしながら中火で3分ほど焼く。全体に焼き色がついたら弱火にし、ふたをして10分蒸し焼きにする。

解凍

ラップをふんわりと かけて加熱

ラップを外して耐熱皿にのせる。新しいラップで皿の中心部分を大きくふくらませるようにふんわりと覆い、電子レンジ（600W）で加熱。数が多いと加熱ムラが起きやすいので、温めるのは一度に3個まで。時間の目安は、1個なら1分20秒、2個は2分30秒、3個は3分。

肉じゃが

生のまま材料を冷凍すれば

時短で肉じゃが完成

冷凍に向かない じゃがいもは 小さめにカットして

時間も手間もかかる肉じゃがも、生のまま材料を切って調味料といっしょに冷凍しておけば時短で完成させられる！　ぜひ下記レシピを参考にして。冷凍に不向きとされがちなじゃがいもも、小さめに切って生のまま冷凍し、凍ったまま加熱調理すれば、調理後もホクホクとしたじゃがいもらしい食感が味わえるのでご安心を。

これで
冷凍庫にイン！

Recipe ／ 冷凍ストックで簡単!　肉じゃがの作り方

冷凍方法

①牛薄切り肉150gは食べやすい大きさに切る。じゃがいも2個は皮をむき、約4cmの大きさに切る。にんじん¼本はじゃがいもより小さめの乱切りに、玉ねぎ1個はくし形切りに。しょうが½片は薄切りに。いんげん3本は3等分に切る。

②しょうゆ大さじ3、みりん・酒各大さじ2、砂糖大さじ1、サラダ油大さじ½、だし汁100mℓを混ぜ合わせ、Lサイズの冷凍用保存袋に入れる。袋に、牛肉、玉ねぎ、にんじん、しょうが、じゃがいも、いんげんの順で具材が重ならないように入れ、口を閉じて平らな状態で冷凍（右上写真）。

解凍方法（食べ方）

①鍋に凍ったまま保存袋の中身（肉じゃがの材料すべて）を入れ、いんげんを箸で取り出す。水100mℓを加え、ふたをして中火で熱する。全体が溶けてきたら軽くほぐして混ぜ、落としぶた（アルミホイルやオーブンシートでも可）をして、野菜がやわらかくなるまで8〜10分煮る。

②取っておいたいんげんを鍋に加え、ふたを外して5分ほど煮詰め、火を止める。そのまま5〜10分ほど置いて味をなじませる。余熱でも火が入るため、ちょうどよい煮え加減の一歩手前で火を止めるのがコツ。

グラタン

焼く直前で冷凍すれば ○

焼き立てが即、食卓に

（解凍）
ラップを外して耐熱皿に移し、電子レンジ（500W）で500g（1食分程度）につき12分加熱。皿の重さやグラタンの厚みによっても変わるので、様子を見ながら調整を。グラタンの具材は基本的に加熱済みなので、電子レンジでの加熱時には、中心が人肌程度に温まればOK。その後、取り出して天板にのせ、予熱したオーブントースター（200℃）で表面に焼き色がつくまで7分ほど焼く。

Idea
焼いた後のグラタンも冷凍できる

大皿で作って余ってしまったグラタンは、1食分ずつ冷凍用保存容器に入れてふたをし、冷凍する。冷凍庫で1ヶ月程度保存可能。解凍の際は、容器のふたをずらして、電子レンジ（500W）で約250gにつき7分ほど加熱して。

保存
1ヶ月

まとめて仕込んで冷凍しておこう

手間のかかるグラタンは、まとめて作って冷凍しておくと便利。焼く前の状態で冷凍すると、温めるときにチーズがとろけて、おいしく食べられる。ラップで包んで冷凍用保存袋に入れて冷凍すれば、冷凍庫のスペースをとらない。

焼く前に冷凍する方法

1 皿にラップを敷き具をのせる

グラタン用の耐熱皿にラップを縦横十字に敷き、グラタンの具材を入れて粗熱をとり、ピザ用チーズをのせる。そのままラップで包み、耐熱皿ごと冷凍庫に入れる。

2 その後、袋へいったん冷凍

半日程度たってグラタンが皿の形状に固まったら、冷凍用保存袋に移す。空気を抜いて袋の口を閉じ、冷凍庫で保存。皿ごと冷凍してもよいが、袋に移すとコンパクトに保存できる。

ロールキャベツ

冷凍は煮込む前？後？
好みに合わせてチョイス

手軽さ重視なら 加熱後に冷凍して

ロールキャベツの冷凍は煮込む前でも後でもOK。加熱前に冷凍すれば、肉がパサつかずジューシーに仕上がるなどのメリットがある一方で、解凍後に調理が必要なのと、キャベツもやや硬いデメリットが。一方、加熱後に冷凍するとレンチンだけで手軽に食べられるのが最大のメリット。キャベツがやわらかく、食べやすくなるのも特徴。ただ、冷凍庫の中でかさばり、肉がややパサつくのが気になるかも。お好みで選んで！

煮込む前に冷凍する方法

これで 冷凍庫にイン！

煮込む前のロールキャベツを1つずつラップで包み、冷凍用保存袋に入れる。空気を抜いて袋の口を閉じ、冷凍。冷凍庫のスペースをとらないので、多めに作ってストックしたい場合に便利。

解凍 スープを用意し、凍ったロールキャベツを入れて煮込む。ふたをして中火にかけ、煮立ったら弱火にして15分ほどで完成。

煮込んでから冷凍する方法

粗熱のとれたロールキャベツを冷凍&電子レンジ加熱可能な保存容器に1〜2個ずつ入れ、スープを注ぎ、ふたをして冷凍。スープはロールキャベツがつかるぐらいの量が目安。足りない場合は、固形コンソメスープの素を湯に溶かして、注ぐとよい。

解凍 保存容器のふたをずらして電子レンジ（600W）で2個（約260g+スープ200ml）につき、10分加熱する。

スープ

「汁もれしそう…」

最適な容器選びで解決

冷凍に不向きな具材にはひと工夫

スープは1食分ずつ冷凍すると便利。凍らせると食感の変わりやすい食材は冷凍前にひと工夫を。白身の部分がパサパサしがちな卵は、かきたまスープにすれば解決。水分が抜け、スカスカした食感になりやすいじゃがいもは、かたまりがなくなるまで潰してから冷凍するとよい。シャキシャキ食感のレタスやもやしは、冷凍によりやわらかくなる。しかし気にならなければそのまま冷凍可能。

スープの冷凍方法

1 氷でなるべく早く冷ます

スープに細菌が増殖するのを防ぐため、作ったらなるべく早く冷ます。常温で放置すると温度が下がりにくいので、ステンレスやアルミなどの鍋は、鍋底を保冷剤や氷水に当てる。
ホーロー鍋などの場合は、ボウルやバットに移し替えてから冷やすといい。

2 保存容器の8分目まで入れる

粗熱をとったスープを1食分ずつ冷凍用保存容器に入れる。スープは冷凍すると膨張するので、容器の8分目ほどの量を目安に入れること！ ふたをして冷凍庫へ。トマトベースやカレー風味のスープなど容器へのニオイや色移りが気になる場合は、容器にラップを敷いてからスープを入れるとよい。

スープに最適な容器を選ぼう

1食分がちょうど入る480mℓの薄型容器は、冷凍庫でかさばらず、重ねてストックしやすい。解凍時間も短くて済む。

1食分にぴったりな473mℓの保存容器。ふたがスクリュータイプできっちりと閉まるので、汁もれしにくい。解凍後、そのまま食べられる。

解凍

様子を見ながら加熱

容器のふたをずらして電子レンジ（500W）で360g（1食分程度）につき6分30秒加熱。まだ凍っている部分がある場合は、一度混ぜてからさらに1分ずつ様子を見ながら加熱する。

ポテトサラダ

じゃがいもは ◯
しっかり潰す

まとめて作って小分け冷凍が正解

作るのが面倒なわりに、日持ちしにくいポテトサラダ。冷蔵保存だと1〜2日しか持たない。まとめて作っておけばお弁当のおかずに活用できる。冷凍の際は、ポテトサラダを1食分（約90g）ずつラップで包み、冷凍用保存袋に入れて冷凍庫へ。

これで
冷凍庫にイン！

解凍  電子レンジ（500W）で、1食分（約90g）につき1分30秒加熱。器に移して、スプーンやフォークでよく混ぜる。冷たい状態で食べたい場合も常温や冷蔵庫での解凍はせず、必ず電子レンジで加熱解凍をしてから冷蔵庫で冷やす。

お弁当に使える！シリコンカップに入れて保存

ポテトサラダをお弁当用のシリコンカップに入れる（1カップにつき約20g）。冷凍用保存容器に入れ、ふたをして冷凍。

解凍 電子レンジ（500W）で、1カップにつき30秒加熱し、スプーンやフォークでよく混ぜる。お弁当に入れる場合も、常温解凍ではなく必ず事前に加熱解凍を！ 電子レンジで解凍するとポテトサラダから少量の水分が出てくるので、熱いうちにシリコンカップの中でよく混ぜてなじませて。

ポテサラの冷凍3ヶ条

1 じゃがいもは潰す

じゃがいもはかたまりが残っていると、解凍時にジャリジャリした食感に。作るときにしっかり潰すのがポイント。

2 水分の少ない具材を。加熱は必須

きゅうりやコーン、生の玉ねぎなど、水分の多い具材は冷凍に不向き。野菜ならいんげんなど水分の少ない具材を必ず加熱して入れて。ハムやウインナー、ベーコンなどの加工品も加熱調理は必須。

3 酢で下味を付ける

ゆでたじゃがいもを潰した後、酢（じゃがいも1個につき小さじ1/2）で下味を付けると、より長持ち。また、マヨネーズは多めが◎。油分でしっとり仕上がり、解凍後もおいしい。

ミートソース
肉団子
ピーマンの肉詰め
肉じゃが
グラタン
ロールキャベツ
スープ
ポテトサラダ
豚汁

145

豚汁

具材を切って冷凍すれば

時短で一品、完成

多めに作って余った豚汁を冷凍してもよし

豚汁の冷凍方法は2種類。1つ目は、食材を切ってからまとめて冷凍用保存袋に入れた「具材ミックス」の冷凍。2つ目は、多めに作って余った豚汁を保存する方法。具材ミックスで冷凍保存するメリットは、いつでもできたての味わいが楽しめること。冷凍庫の中でかさばらないのもうれしい。一方、調理済み豚汁を冷凍するメリットは何より、温めるだけで食べられること。1人分ずつ小分けして冷凍すればより利便性アップ！

調理前の豚汁

調理済みの豚汁

冷凍ストックで便利!
具材ミックスの作り方（2人分）

1 食材をカット。豚肉はラップで包む

にんじん¼本（約40g）は半月切り、大根2cm（約80g）はいちょう切りにする。しいたけ2枚は軸を除いて4つ割りに、長ねぎ10cmは1cm幅に切る。里芋小2個（約70g）はラップで包んで電子レンジ（500W）で2分加熱し、皮をむいて半月切りに。油揚げ½枚は短冊切りにし、しょうが½片は細切りにする。豆腐は冷凍により食感が変わりやすいので油揚げで代用を！

豚バラ薄切り肉100gは3〜4cm長さに切り、1食分ずつラップでぴったり包む。

2 野菜と豚肉は分けて冷凍保存

1の豚肉以外の具材は冷凍用保存袋にそのまま入れて、袋をふって全体を混ぜ、空気を抜いて袋の口を閉じ、冷凍する。ラップで包んだ豚肉は別の冷凍用保存袋に入れ、空気を抜いて袋の口を閉じ、金属製のバットの上に置き、冷凍庫で急速冷凍する。野菜などの具材と豚肉は、衛生上の問題と使い勝手を考慮して別々に冷凍するのがおすすめ。

これで冷凍庫にイン！

解凍 具材ミックスで豚汁を作る手順

①鍋にサラダ油小さじ2を中火で熱し、凍ったままの豚肉を加え、炒める。

②肉の色が変わりはじめたら具材ミックスを凍ったまま加え、さらに炒める。

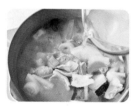

③全体に油がなじんだら、だし汁500mℓを加える。煮立ったらアクを除いて弱火にし、5分ほど煮る。具材に火が通ったら火を止め、味噌大さじ2を溶き入れる。一度冷凍した具材は、冷凍効果で細胞組織が破壊されているため、比較的早く火が通る。煮る時間は短めでOK。

調理済みの豚汁を冷凍する方法

1 冷凍に不向きの食材を取り除く

豆腐やこんにゃく、じゃがいもなど冷凍すると食感が変わりやすい食材が入っている場合は、取り除く。

2 保存容器に入れて冷凍

粗熱をとった豚汁を1食分ずつ冷凍用保存容器に入れる。ふたをして冷凍する。汁物は冷凍すると膨張するので、容器の8分目ほどの量を目安に入れて！

解凍

様子を見ながら加熱

容器のふたをずらして電子レンジ（500W）で350g（1食分程度）につき5分30秒加熱する。まだ凍っている部分がある場合は、一度混ぜてからさらに1分ずつ様子を見ながら加熱する。

筑前煮

煮汁ごと冷凍が正解 ◎

おいしさをキープ

冷凍に不向きな食材はひと工夫

筑前煮は煮汁ごと冷凍するとよい。具材に味を染み込ませながら、乾燥も防げる。たけのこなど、冷凍で食感の変わりやすい食材は、ひと手間加えて風味をキープ！ 仕上げに加える絹さやなどの緑の野菜は、鮮やかな彩りをキープするため別で冷凍すると◎。

解凍

冷凍用保存容器の場合

容器のふたをずらして、電子レンジ（500W）で500gにつき5分加熱。一度、電子レンジから取り出して全体を混ぜ、さらに5分加熱する。

冷凍用保存袋の場合

袋の上から手で割り、鍋またはフライパンに移し、強火で約3分加熱する。半解凍状態になったら混ぜ、さらに約1分加熱。沸騰したら中火に落とし、約2分煮汁を煮絡めながら温める。

硬くて手で割れない場合は、袋の口を開けて電子レンジ（500W）で約1分加熱し、半解凍にするとよい。袋のまま全解凍まで加熱すると、袋の耐熱温度を超える場合があるため避けること。

ポイントを押さえて！ 筑前煮の冷凍方法

1 冷凍に不向きな食材を取り除く

筑前煮を作ったら、細菌の増殖を防ぐため、その日食べる分を除いて素早くバットに汁ごと広げ、底面を氷水に当てて粗熱をとる。具材にこんにゃくやたけのこを使う場合は、食感が変わりやすいため、あらかじめ取り除く。ただし、煮る際に保水効果のある砂糖を多めに入れておくと、たけのこの食感が変わりにくくなる。

2 煮汁ごと冷凍用の袋や容器に入れる

これで冷凍庫にイン！

粗熱のとれた筑前煮を冷凍用保存容器に煮汁ごと1食分ずつ入れ、ふたをして冷凍する。または、冷凍用保存袋に煮汁ごと入れ、空気を抜いて袋の口を閉じ、金属製のバットにのせて急速冷凍。

仕上げにゆでた絹さやや、いんげんなど彩り野菜を添える場合は、変色を防ぐため別に冷凍を。

切り干し大根
（煮物）

カップで小分け冷凍

お弁当に
そのままイン

Recipe／切り干し大根と
ツナのサラダ

①冷凍切り干し大根（水戻し後）100gは、電子レンジ（500W）で2分30秒加熱して解凍。常温まで冷ましてペーパータオルで包み、手で絞って水気を取る。②玉ねぎ1/8個は薄切り、三つ葉1パック（約30g）は約2cmの長さに切る。三つ葉の葉先は、少量を飾り用に取り分ける。③ボウルに①②を入れ、汁気を切ったツナ缶小1缶分（約80g）とコーン（缶）大さじ4を混ぜる。マヨネーズ大さじ3、塩・こしょう各少々、赤唐辛子輪切り1本分を加えて和えたら、皿に盛り、②の三つ葉を飾る。

シリコンカップが便利

切り干し大根の煮物は、おかずカップに小分けして冷凍するとよい。冷凍用保存容器にカップを並べて入れ、ふたをして冷凍庫へ。凍った状態でお弁当に詰めれば自然解凍で食べられる。レンジ解凍も想定し、耐熱性の高いシリコンカップがおすすめ。電子レンジ加熱NGのアルミカップは避けて。一緒に煮る野菜は、冷凍による食感の変化が少ない、にんじんやほうれん草、いんげんなどを選んで。

解凍　お弁当に詰めるなら自然解凍でOK。すぐに食べる場合はラップをかけ、おかずカップ1個あたり、電子レンジ（500W）で約50秒加熱すること。

まとめて水に戻して冷凍も◎

切り干し大根は水に戻した状態で冷凍するとすぐ使えて便利。商品パッケージの表示時間を参考に戻し、水からあげてペーパータオルで包んで手でしっかりと絞り、水気を取り除く。ラップで包み、冷凍用保存袋へ入れて金属製のバットにのせ、急速冷凍。100g（戻した後）ずつラップでまとめると、1食分に使いやすい。

これで
冷凍庫にイン！

解凍　サラダなど生食で使うなら電子レンジ（500W）で2分30秒（100gの場合）加熱。左のレシピもおすすめ。火を通す料理に使うなら電子レンジ（500W）で1分30秒（100gの場合）加熱。

きんぴらごぼう

野菜の細切りが大変？まとめて作って冷凍が◎

野菜をカットするのが面倒なきんぴらごぼうは、多めに仕込んで冷凍すると便利。夕食用の1品として冷凍するなら1食分（約80g）ずつラップで包み、冷凍用保存袋に入れ、空気を抜いて袋の口を閉じ、冷凍。お弁当用なら、シリコンのカップに25gずつ入れて冷凍用保存容器に並べ、ふたをして冷凍庫へ。

これで冷凍庫にイン！

解凍 1食分（約80g）なら電子レンジ（500W）で、1分加熱。お弁当用なら凍ったまま詰めて自然解凍でOK。常温で1時間30分程度で食べごろに。すぐに食べる場合は、凍ったままふんわりとラップをしてシリコンカップ1個（25g）につき、電子レンジ（500W）で30秒加熱し、解凍。

Recipe
冷凍向きのきんぴらごぼう（3〜4人分）

①ごぼう3本（約30cm長さのもの。正味230g）は2〜3cm長さの細切りにし、水に10分ほどさらしてからザルにあげる。にんじん1/3本（約50g）は2〜3cm長さの細切りにする。 ②フライパンにごま油小さじ2を入れて中火で熱し、①を炒める。しんなりしたらしょうゆ大さじ2、砂糖大さじ1を加えてさらに炒め、汁気がなくなったら、器に盛り、お好みで炒りごま（白）適量をふる。

かんぴょう甘辛煮

1袋分まとめて調理小分け冷凍すると◎

巻き寿司やちらし寿司などで活躍するかんぴょうの甘辛煮。1袋分まとめて調理して冷凍すれば便利。粗熱をとった後、1食分ずつ（約45g）小分けしてラップで包み、金属製のバットにまっすぐに並べて冷凍庫で急速冷凍。凍ったら冷凍用保存袋にイン。

解凍 電子レンジ（500W）で約40秒温めて解凍。冷蔵庫で約3時間置き、自然解凍してもよい。炒め物や煮物など加熱調理する場合は、凍ったまま使える。凍った状態（硬すぎる場合は少し置く）でカットすると扱いやすい。

Recipe
かんぴょうの甘辛煮

①ボウルに水を張って手でかき混ぜながら、かんぴょう（乾燥）30gをさっと洗う。一度流水で洗い流し、再びボウルにたっぷりの水を入れ約10分間ひたして戻す。その後、包丁やキッチンバサミで使いやすい長さ（巻き寿司に使う場合は約18cm）にカットし、塩小さじ1を加えて30秒程度塩揉みする。

②塩を流水で洗い落として水気を絞る。鍋に湯をたっぷりと沸かし、①のかんぴょうを入れて中火で約5分ゆでる。爪で切れるくらいのやわらかさになったらザルにあげる。

③鍋にだし汁200ml、しょうゆ大さじ2、砂糖大さじ2、酒大さじ2、みりん大さじ1を入れて煮立て、②のかんぴょうを入れる。落としぶたをして中火で約20分、ときどき上下を返しながら煮含める。煮汁が見えなくなるまでしっかり煮ると、冷凍しやすく解凍後も水っぽくなりにくい。

あんこ

保存 1ヶ月

活用しやすいのは 小分け&スライス冷凍

これで冷凍庫にイン！

乾燥や冷凍庫臭からあんこを守れる

あんこは、スライスチーズのように薄く平らにしてから冷凍する方法がベスト。いつでも手軽に少しずつ使うことができる。ラップで包んでから冷凍用保存袋に入れるので、乾燥や冷凍庫臭も防げて一石二鳥！

スライス冷凍の手順

1 ラップにのせて折りたたむ

ラップを広げ、あんこを大さじ3（約60g）ほどのせてラップの四辺を四角く折りたたむ。スライスチーズと同じくらいのサイズがおすすめ。

2 手で押し広げ、シート状に

ラップの上から手で押して、あんこをラップの大きさに合わせて薄く平らに広げてシート状にする。

3 冷凍用保存袋に入れて冷凍

シート状のあんこをまとめて冷凍用保存袋に入れ、空気を抜いて袋の口を閉じ、冷凍する。金属製のバットの上に置いてから冷凍すると、形をキープしやすい。

解凍

凍ったままでも使える

凍ったまま食パンにバターとのせてオーブントースター（200℃）で3分焼くと、小倉トーストが完成。プレーンヨーグルトに冷凍あんこをちぎって添えればデザートに。温めた牛乳やカフェオレに加えて混ぜながら飲んでも◎。必要な分だけちぎり、残った分はラップできちんと包み直して冷凍用保存袋に戻す。

ケーキ

○ 冷凍→解凍しても

風味はほぼ変わらない!

生のフルーツを使ったケーキ以外は冷凍OK

実は、ほとんどのケーキは冷凍保存が可能! ただし、生のフルーツを使ったケーキは、解凍時にフルーツから水分が出て食感が変わるため、冷凍には不向き。それ以外のケーキを冷凍する際は、1切れずつラップで包んでから冷凍用保存袋に入れて冷凍庫へ。トッピングのあるケーキは、深さがある容器を逆さにし、ふたの上にケーキをのせて、容器をかぶせて冷凍するとよい。すっぽり入るほどの大きさの容器を選べば、形を崩さず、そのまま冷凍できる。

これで
冷凍庫にイン!

いろいろな
冷凍ケーキを
実食検証!

おなじみのケーキを実際に冷凍・解凍して食べた感想をご紹介。保存期間や解凍方法もこちらをチェックして。

ガトーショコラ

冷凍期間
冷凍庫で3〜4週間保存可能。

解凍方法
冷蔵庫に2時間置く。

食べた感想
冷凍前と味・食感ともにほぼ変わらない。

チーズケーキ

冷凍期間
冷凍庫で3〜4週間保存可能。

解凍方法
冷蔵庫に2時間置く。

食べた感想
冷凍前と味・食感ともにほぼ変わらない。

ミルクレープ

冷凍期間
冷凍庫で2〜3週間保存可能。

解凍方法
冷蔵庫に2時間置く。

食べた感想
冷凍前と味・食感ともにほぼ変わらない。

ロールケーキ

冷凍期間
冷凍庫で2〜3週間保存可能。

解凍方法
冷蔵庫に2時間置く。

食べた感想
スポンジ部分が少ししっとりする。クリーム部分は冷凍前と変わらない。

シュークリーム

冷凍期間
冷凍庫で1〜2週間保存可能。

解凍方法
冷蔵庫に2時間置く。

食べた感想
シュークリームの皮のふんわり感は少し失われる。中のクリームは冷凍前と変わらない。半解凍状態で食べるとシューアイスのような食感になる。

Idea

フルーツを使ったケーキを冷凍したいなら

いちごのショートケーキ、フルーツタルト、フルーツ入りのロールケーキ、クリスマスケーキなどは一般的に冷凍が難しい。でも、スポンジ・生クリームとフルーツを分けると冷凍できる! トッピングだけでなく、スポンジの間に挟まれているフルーツも取り分けて。

フルーツの冷凍

フルーツは生クリームを拭き取り、冷凍用保存袋に入れて冷凍。半解凍状態でいただけば、シャーベット風のシャリシャリ食感を楽しめる。1ヶ月保存可能。

スポンジ・生クリームの解凍

スポンジ・生クリームは一緒に冷凍用保存袋に入れて冷凍。1ヶ月保存可能。冷凍庫から出して数分で、包丁で切って食べることができる。右の写真のように生のフルーツや生クリームをトッピングすればトライフル風に。

ドーナツ

食べ切れないなら

油が酸化する前にすぐ冷凍

空気に触れないようラップでぴったり包む

ドーナツは、食べ切れないなら冷凍保存！ なるべく早く冷凍することで、油の酸化を防いでおいしさをキープできる。ドーナツは水分量が少ないので、冷凍・解凍しても食感や味わいはほとんど変わらない。なるべく空気に触れないよう、1個ずつラップでぴったりと包んで。手作りしたドーナツは、人肌程度に冷ましてから包み、まとめて冷凍用保存袋に入れ、空気を抜いて袋の口を閉じ、冷凍庫へ。

解凍

**自然解凍でOK。
夏場は冷蔵庫で！**

ドーナツを冷凍庫から出して、ラップを外し、皿の上に30分ほど置いたら食べ頃。ただし、常温が高いとチョコレートや砂糖が溶けるなど、変質する可能性がある。そのため、夏場などはラップで包んだ状態のまま、冷蔵庫で2時間ほど自然解凍する。

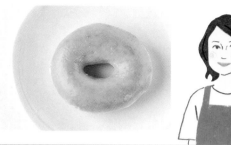

解凍したドーナツを実食検証！

冷凍前との味や食感の違い、おいしさUPのコツをご紹介。

オールドファッション

冷凍前と味・食感ともにほぼ変わらないが、表面は解凍後の方がややしっとり感が増す。自然解凍後、電子レンジ（600W）で10秒温めるとふんわり、トースターで約2分温めるとサクサクした食感になる。

グレーズドドーナツ

冷凍前に比べると、解凍後は生地のふわっとした食感が減り、表面が少ししっとりした印象。シュガーコーティングのパリッとした食感がおいしいグレーズドドーナツは、自然解凍してそのまま食べるのがベスト。温める場合は電子レンジ（600W）で10秒加熱してもいいが、表面が少し溶けてしまう。

もちもち系ドーナツ

解凍後は、わずかに表面がしっとりとした印象だが、食感はほぼ変わらない。自然解凍後に電子レンジ（600W）で10秒温めると、さらにもちっとした食感になる。

フレンチクルーラー

冷凍前に比べると、しっとり感が増す。自然解凍後にトースターで約2分温めると表面はカリッと、中はしっとりとした食感になる。

チョコレートコーティング

味・食感ともにほぼ変わらないが、生地がややしっとりとした食感に。自然解凍後に電子レンジ（600W）で10秒温める。表面のチョコレートは溶けず、生地はふんわりとした食感に。

クリーム入りドーナツ

味・食感ともにほぼ変わらない。生地はふっくらしたままで、クリームのなめらかさや風味も冷凍前と同じ。冷凍庫から出してすぐ、凍ったまま食べるとシューアイスのような食感でおいしい。

カステラ

「1本は多い…」なら冷凍！

凍ったままも美味

小分けに包んで
乾燥から守って

1本で買うと、なかなか食べ切れないカステラ。開封後は日持ちしないため、早めに冷凍しておいしさをキープ。カステラは冷凍庫から出すとすぐ解凍が始まり、再冷凍はNGのため、必ず1回で食べやすい大きさにカットして冷凍を。さらに乾燥を防ぐため、ぴったりとラップで包み、重ならないように冷凍用保存容器に並べ、ふたをして冷凍庫に。

Recipe
牛乳にひたして冷凍すると
おいしいアイスに

① 平皿やバットの上にカステラを包める程度の大きさのラップを広げる。ラップの中央にカステラを置き、全体に牛乳をかける。牛乳の量は、カステラを傾けた際に牛乳が少しにじみ出るくらいが目安。1切れ（約45g）につき大さじ5程度かけるとおいしい。
② ぴったりとラップで包み、冷凍用保存袋に入れる。空気を抜いて袋の口を閉じ、冷凍庫で6時間程度冷やして完成。ラップで包んだカステラは冷凍用保存容器に入れてもOK。ただし、牛乳が全体に行き渡るよう、カステラは横に寝かせて冷凍すること。

（解凍）冷蔵庫に移して、1切れ（約45g）につき15分程度置き自然解凍。または、1切れにつき電子レンジ（600W）で約30秒加熱すると、できたてのようなおいしさに！

Idea
凍ったまま食べるともっちり食感に！

カステラは、実は冷凍のままでもおいしく食べられる。凍らせることでもっちりとした食感になり、新感覚スイーツのような味わいに。

バームクーヘン

パサつく前に冷凍を
ラップでニオイ移り防止

これで
冷凍庫にイン！

開封後、時間がたったバームクーヘンは、パサつきやすく、風味も失われやすい。すぐに食べ切れないなら冷凍を！　バームクーヘンは食べやすい大きさに切り分け、ニオイ移りや乾燥を防ぐためラップでぴったり包む。重ならないように冷凍用保存袋に入れ、空気を抜いて袋の口を閉じ、冷凍庫へ。

解凍 冷凍したバームクーヘンを、ラップをしたまま1切れ（約40g）につき電子レンジ（600W）で30秒加熱すると、ふわふわしっとりした食感を楽しめる。

Idea
解凍しなくてもおいしい！

凍ったままのバームクーヘンはパサパサ感がなく、しっとりしていて口溶けもなめらか。甘さもさっぱりしており、とっても食べやすいスイーツに！

Recipe
ハニーバター風味にアレンジ

凍ったままのバームクーヘンのラップを外し、オーブントースター（1000W）で3分ほど焼く。器に盛り、熱いうちにバターをのせてはちみつをかけ、お好みで粗びき黒こしょうをふる。外はカリッ、中はふわっとした食感に仕上がり、溶けたバターがジュワーッとバームクーヘンに染みて、リッチな味わいのスイーツに！

生チョコ

急速冷凍はNG！
冷凍の前に冷蔵庫へ

これで
冷凍庫にイン！

バレンタインの定番スイーツである手作りの生チョコ。生クリームが入っていることが多く、あまり日持ちしないので、すぐに食べない場合は冷凍保存がおすすめ。手作りの生チョコは、冷凍する前に冷蔵庫で十分冷やしておくことが大事。

解凍 冷蔵庫で30分ほど置いて自然解凍。冷凍してもカチカチに凍らないので、冷凍庫から出してすぐに食べてもアイスのような食感でおいしい。

生チョコの風味を守る冷凍方法

1 まずは冷蔵庫で冷やす
チョコレートの風味を保つため、あらかじめ冷蔵庫に入れて十分冷やしておく。急激な温度変化はチョコレートの劣化につながり、風味が落ちたり、脂肪分が表面に浮き出て白くなったりする可能性が。冷凍する前に、必ず冷蔵庫で冷やしておくこと。

2 小分けしてラップで包む
空気を遮断するようにラップでぴったりと包む。2〜3個ずつなど、1回に食べる分ずつ小分けにすると便利。そのまま冷凍用保存袋に入れ、空気を抜いて袋の口を閉じ、冷凍する。

Idea
手作りならココアをふる前に冷凍

手作りの生チョコを冷凍保存する場合、固めた段階で半分に切り、1切れずつラップで包んで、冷凍用保存袋に。1ヶ月程度保存可能。食べるときにひと口大にカットし、ココアパウダーをまぶす。

ジャム

◯ 小分け冷凍なら
トースト1枚分だけ
解凍できる

一度にたくさん使うなら 保存容器に

冷凍用保存容器にジャムを1回で食べ切りやすい量ずつ入れ、ふたをして冷凍。冷凍庫から取り出してすぐに使える。解凍したジャムは、なるべく早く使い切ること。保存容器から少量だけスプーンですくって再冷凍するのはNG。冷凍庫から出し入れすると、凍ったジャムが解凍され、風味が損なわれる。

保存 6ヶ月 糖度40%以上の場合

瓶のまま冷凍NG! 必ず移し替えてから

ジャムは未開封だと長持ちするものの、一度開封するとあまり日持ちしない。すぐに食べ切れないなら冷凍保存を。ただし、瓶のまま冷凍すると中身が膨張し、割れる恐れが。必ず冷凍用保存袋や冷凍用保存容器に移し替えて。糖度が高いジャムは冷凍庫から取り出すとすぐに解凍されるため、少量ずつ小分けして冷凍するとおいしさをキープできる。

1回で食べ切りやすい量を小分けして

1 ラップでぴったり包む

ジャムは1回で食べ切りやすい量に小分けし、ぴったりとラップで包む。全量を冷凍用保存袋に入れると、食べる分ずつ取り出す際に、残りのジャムの解凍がすぐに始まってしまう。一度解凍したジャムの再冷凍はNGなので、必ず1回で食べ切れる量に分けておくこと。

2 密封して急速冷凍

冷凍用保存袋に入れ、空気を抜いて袋の口を閉じ、金属製のバットにのせて冷凍する。小分けにしたジャムは、他の食材のニオイが移りやすいため、空気に触れないように密封して冷凍して。

これで冷凍庫にイン!

解凍

カチカチには固まらないので、冷凍庫から取り出してすぐに使える。そのままトーストやバゲットに塗ったり、ヨーグルトに入れたりしてもよい。

レシピ・アドバイス

吉田瑞子
料理研究家・フードコーディネーター

おもちゃメーカーから料理研究家に転身し、オリジナリティ溢れる美味しいレシピを開発。『冷凍保存の教科書ビギナーズ』（新星出版社）『1日がんばって1カ月ラクする 手作り冷凍食品の365日』（宝島社）『速攻おいしい！ 朝ラク弁当BEST300』（宝島社）など著書多数。

根本早苗
冷凍生活アドバイザー、
野菜ソムリエプロ、食生活指導士

「毎日野菜を摂取してほしい」という思いのもと、野菜が主役の料理教室を各地で主宰。野菜の栄養価をキープ＆美味しいレシピ開発に定評がある。企業や自治体での講師、サイトやテレビの監修など幅広く活躍中。

レシピ・アドバイス協力（五十音順）
小田真規子、岸村康代、阪下千恵、株式会社食のスタジオ、舘野鏡子、平尾由希、吉永沙矢佳、若子みな美

コラム
伊坪美和（インブルーム株式会社）

撮影
岡崎 健志

撮影協力（五十音順）
有光浩治、飯貝拓司、石川奈菜、石塚由香子、中川朋和

企画協力
株式会社ニチレイフーズ　笹嶺舞依子
株式会社インフォバーン　能瀬亮介、川添真由香

協力
株式会社 食のスタジオ
株式会社 都恋堂

デザイン／細山田デザイン事務所（細山田光宣、奥山志乃）
イラスト／くぼあやこ
DTP／坂巻治子
編集／仲田恵理子、高木さおり
校正／東京出版サービスセンター
ストック写真／photolibrary

監修

1945年、「日本冷蔵株式会社(現・株式会社ニチレイ)」創立ののち、2005年、同社の持株会社体制移行に伴い、設立。日本における冷凍食品のフロンティアカンパニーとして、研究開発・調達・生産・販売・物流の能力をフル活用。チャーハンや焼おにぎりなどの主食系メニューをはじめ、から揚げやハンバーグなどのおかずメニュー、今川焼などのおやつメニューや冷凍野菜まで、簡便調理とおいしさを両立した豊富なラインアップで生活者から人気が高い。「冷凍で食を豊かに」というテーマで発信している「ほほえみごはん」のサイトは、年間約9000万PV(2022年度実績)、満足度96%(自社調べ)を誇る。

ほほえみごはん
https://www.nichireifoods.co.jp/media/

ニチレイフーズの広報さんに教わる 食材の冷凍、これが正解です!

2023年6月2日　初版発行
2024年9月10日　16版発行

監修　　株式会社ニチレイフーズ
発行者　山下 直久
発行　　株式会社KADOKAWA
　　　　〒102-8177
　　　　東京都千代田区富士見 2-13-3
　　　　電話 0570-002-301(ナビダイヤル)
印刷所　TOPPANクロレ株式会社
製本所　TOPPANクロレ株式会社